CREATION OR DEATH 創造か死か FROM SHIBUYA

RMA
Café

はじめに――

現在は2021年初夏。

コロナ禍になって1年半が経ちます。1991年大学4年の卒業時に起業して今年で30年。

本当に好きなように生きてこられました。

1991年3月　最初の会社「BIG BOSS」創業　22歳の春。

1995年11月「LD&K」を法人登記　27歳の秋。

「宇田川カフェ」開店が2001年、この店もちょうど今年で20年になります。

この本の前半は私の起業前夜の大学時代から音楽レーベルを始めたくらいまでの期間を自伝的に、音楽レーベルが始まってからはほぼほぼルーティーンになるので年表で紹介します。トピックがあるアーティストに関してはコラム的に取り上げています。

そして「宇田川カフェ」を出店してからは、ほぼ全店舗を出店ごとに解説を書いています。

ところどころに当時受けたインタビュー記事や過去の本の文章を挿入したりしています。

好きなことをやって生きていきたいと思っている人が、この本を読んで
こんなやり方もあるんだ、と少しでも思ってもらえたなら本望です。

私も起業して30年、先日53歳になって最近は物忘れが激しくなってきました。昨日食べたものを思い出すのも難儀になってきました。特に人の名前は思い出しづらくなってきています。そもそも私は他人にあまり興味がなく、人の名前を覚えないタイプの人間なのです。

世話になった方々の名前だったり、会社だったり。ギリギリ思い出せる今のうちに〝備忘録〟としていったんこの節目で残しておきたいと思ったということも本著を出す理由にあります。当時のエモい気持ちも忘れつつあります。

この本は備忘録なので、敢えて個人名など固有名詞を載せてしまっています。許可も取らずに載せられてしまって気分を害する方もいることでしょう。大変申し訳ありません。これからこの本を読んでくれる方にも、さっぱり何のことやらわからない部分が多いであろうことも御容赦願いたいです。

私は全く人の世話など受けずに生きてきたつもりでいました。そしてそう生きたいと思って来ました。

気持ち的には今でもそうです。起業した理由の一つとしては、サラリーマンになりたくない。それは「**自分の好きでもない他人＝関わりたくない嫌いな人間と接することなく生きる。**」ということを優先的に勝ち取るためだったのです。

自分の身の回りに触れられている世界がその人の世の中です。

好きな人だけに囲まれて生きていけたらそんなに素晴らしいことはありません。私はそもそもセンスの合わない人間と同じ空間に存在するのが許せない人間です。出来る限り拒絶して生きてきました。

そのために若くして会社を創業して社長になりました。そして私の生活する範囲で存在したい空間が無ければ最低限でも自力で創ってきました。それは主に渋谷にできました。いくら儲かると言われてもセンスが合わない人とは反発して仕事をしてきませんでした。冴えない人は嫌いです。

しかしながら、こうやって回顧録を書いているうちに気付きましたが、結局は他人の名前が多数羅列されることになります。人にお世話になったということです。

ここに載っている方々はもちろん、載せられていない大勢の従業員や関係各所の業者の方々、アーティスト、当時付き合ってくれた友人、恋人などが私の人生を構成してくれたのは事実です。

様々な理由があって気まずく別れてしまった方々も含め、すべての関与者に今までの感謝の気持ちを記しておきます。

サンキュー謝謝。

渋谷の黒豹

目次

他人に人生を決められるようなことは許せない。

起業前夜――

１９８９年。当時私は三軒茶屋の日の当たらないジメジメとした狭いアパートに住んでいました。

愛知県豊橋市から大学で上京して、ただ漠然と、やりたいことも明確な目標もなく、バイトとバンド活動に明け暮れていた大学時代。

大学では音楽サークルに入りました。渋谷周辺ではアメカジ（アメリカンカジュアル）が流行ってきていて、恵比寿の松田ケイジくんの店に遊びに行ったりしていた。いわゆる「チーマー」のはしりの世代でした。バンドをやりながら、一方でパーティを主催していたり、一通りの若者ゆえの悪いことはやっていました。

アルバイトも沢山やりました。大学で上京後、渋谷のセンター街のとっくの昔になくなったバー「BRICK」でバーテンのバイトをした後、新橋のスナックと大学近くの雀荘でのバイトを掛け持ちしたりしていました。

新橋のバイト先はいつも終電頃終わるので、ほとんどの日はそのまま芝浦「GOLD」や西麻布や新宿御苑あたりのナイトクラブへ直行する日が多かった。何もない日は銀座線で表参道まで、表参道から半蔵門線に乗り換えて三軒茶屋のアパートに帰っていました。

終電頃の銀座線は酔っ払いと仕事帰りのサラリーマンでいつもごった返していました。まだ学生の頃はバブルだったのと、２４時間戦う企業戦士なんていうのが当たり前の世の中だったから、その電車の中は、病んでいる社会人でいっぱいだった。酔ってもいないのに吊革にぶら下がってブツブツ言っている人、わけのわからないことをわめいている人喧嘩している人などの病んだスーツ姿のサラリーマンが沢山いました。

これはキツイな。そう思った。

こういうサラリーマンだけにはなりたくないと思った。絶対嫌だ、ああいう風にはなりたくないっていう恐怖、洗脳的なものを感じました。みんながそうじゃないってことは判ってはいるのだけど。**精神を病んでまで仕事をするのは人生として本末転倒**だと心から思ったのでした。

そもそも愛知県豊橋市というところに生まれて、満員電車なんて縁のない人生を送ってきた私にとって東京のラッシュアワーの満員電車はただでさえキツかった。

しかしながら大学時代の記憶があまりない。音楽サークルに入っていたし、バンドをやっていたのだけど、なぜだかいつも眠くてだるかった。バンドはまああの実力だったと記憶していますが、私自身は音楽の才能が全くなかったと思っていたし、ものすごくテキトーだった。ボーカルをやっていて、自分で書いた詞を歌うのだけれど、自作の詞をライブ時でも、ちゃんと1曲最後まで覚えたことがなかったってくらい飽きっぽかった。笑。

それでもなんとなく私のバンドは他の大学の学園祭に呼ばれる程度にはなっていた。東京外語大の学園祭に呼ばれた時は、いろいろな国の学生が集まっているだけあって、ライブ会場の講堂がどっかの国の屋台の料理の匂いで充満してキツくて、ボーカルの私だけライブ演奏中に突然帰るということもあった。まだ2曲目の途中とかで。たしか頭にきたのだった。狂っていた。臭くて。笑。

楽屋で荷物を取って帰る時にステージ見ると、それでも他のバックメンバーは演奏し続けていた。ボーカルが突如いなくなっているのに。笑。そういえば他のメンバーだけであの時はどうやってライブを終わらせたのだろう。あの曲で終わったのだろうか。

その時のバンドメンバーは今でもまだ音楽をやっている。たしか「AUDIO ACTIVE」とか「Dry&Heavy」ってバンドのギターとベースをやったりしていた。

サークルの先輩に

「レコード会社の人を紹介するから、かっこいいしメジャーデビューしたらいいんじゃないか?」と言われたこともあったけど、私には才能が無い自覚はあったし、そもそもガレージパンクみたいなバンドで一般的に売れるジャンルのバンドじゃなかったし、メジャーのレコード会社でデビューすること自体をかっこ悪いと本気で思っていた。

「メジャーデビュー? なんだそれ超ダセーなあ。」と思っていた。

他の先輩には

「お前のやっているジャンルの元ネタのアーティストがそもそもたいして売れてないのだから、お前のバンドも飯が食えるくえるほど日本で売れるとは思えねえなあ。」って言われた。

ごもっとも、だと思った。的確な良い助言だった。

だからバンドで生きていくことは考えてなかった。一般受けするような曲が作れたり詞が書けたりする人間じゃないと食えないことは理解していた。

大学2年の時にJICC出版局（現在の宝島社）の編集者から誘われて企画バンドのボーカルをやらされた。早稲田大学の学園祭に自分のバンドで出た時に、歌っているのを見つけられて誘われたみたいだ。

1989年に横浜本牧に「マイカル本牧」ってところが出来て、その中に「本牧アポロシアター」ってライブ会場が出来た。本場NYの「アポロシアター」でやっている「アマチュアナイト」ってオーディション企画を、確かJICC出版がテレビ東京と組んでその日本版をやったのだった。テレビ東京の週末の深夜枠で同タイトルの番組として放送されていた。そのための仕込みバンドのボーカルをやらされた。その編集者がギター担当のリーダーで曲を作った。「マイカル」っていうのは元ニチイってデパートの新しい商業施設のブランドだった。

その企画は優勝するとその「マイカル」っていうところが作ったレコード会社の「マイカルハミングバード」ってところからメジャーデビューするっていうのが副賞というか条件だって言われた。それをメンバーの皆が嫌がった。なんか知らない名前のダサそうなレコード会社だし、みんなそれぞれ自分のバンドが他にあるから。そんな企画バンドの即席バンドでデビューなんて嫌だった。

例えば「COOL SPOON」とかがその企画バンドのメンバーだった。しかし当時は自分以外の他のメンバーの名前なんて覚えていない。そんな突っ張った若者でした。

オーディション自体は本場NYと同じく会場のお客さんのリアクションで勝ち上がっていくシステムだったのだけれど、なんとか優勝しないためにどうしたらいいか俺らは考えた。

「本場NYのアポロシアターのステージに上がれる」という副賞に人数制限がないことに目をつけて、我々は決勝の日にバンドメンバーを20人以上にしたのだった。絶対に優勝させられないようにしようと思って。笑。なんだかマイク立ってないけどフルートが5人とか、急遽集めたものだから誰がどう見ても無理やりなバンドメンバーの増やし方だった。リハーサルの時にプロデューサーに凄く怒られた覚えがあるのだけれど、俺らバンドはしらばっくれて

「いや新曲はこのメンバーじゃないとダメなので」とかいって押し通そうとした。

今思い出すとそのバンドは毎回同じ曲を演奏していたような記憶しかないのだけれど。笑。私には1曲しか印象にないだけなのかもしれない。

結局その時は番組プロデューサーが

「お前らはバンド部門だと優勝しちゃう可能性があるから、決勝はパフォーマンス部門に鞍替えだ、バカヤロウ」と言われて急遽パフォーマンス部門というところで決勝戦をすることになった。

パフォーマンス部門があること自体もその時知った。

そのパフォーマンス部門の決勝の対戦相手が、まだ売れてない頃の「電撃ネットワーク」で、この時彼らが優勝して副賞でNYに行って、あっちで「TOKYO SHOCK BOYS」という名前で人気がでた。

日本に凱旋帰国っていう形で彼らは売れたのだった。

その後うちでデビューして所属する「ガガガSP」が、学園祭の仕事を「電撃ネットワーク」の事務所からよくもらうようになっていたのは何かの縁。長い間「電撃ネットワーク」と「ガ

ガガSP」という組み合わせで全国の学園祭に結構な数呼ばれたりしたのでした。

その時の企画バンドのボーカルだった私に、JICC出版の編集者が付けたニックネームがアントニオだったから、そこから略して「トニー」ってあだ名になった。私はその後、結婚するまでトニー大谷と名乗るようになった。

創業してから結婚する前までの私の名刺と、当時の弊社LD&Kの全CDのクレジット欄のプロデューサー枠には「トニー大谷」と明記されている。

34歳で結婚する時に、妻に

「なんでトニーって名前なの？　バカみたい」って言われて、ハイハイわかりました。その通りですね。ということで10年以上名乗っていた「トニー」をあっさり辞めた。海外で自己紹介するのには便利だったのだけどね。

その翌年JICC出版から「BANDやろうぜ」って雑誌が創刊されることになり、創刊広告のマスコットキャラクターを私一人でやらされた。

「宝島」って雑誌に「BANDやろうぜ」の創刊広告として私がたくさん紙面に載っていた。

何年か後の、弊社の「Keito Blow」のジャケット撮影のロケ時に、スタイリストの梅山さんから、

「あれ？　大谷さんって昔仕事したことありますよね？」って言われたのはこれだ。

「今はその話は内緒でお願いします。」と梅山さんには言った。黒歴史だからね。

翌年のテレビ東京の番組「アマチュアナイト」のサブ司会者もなぜかやらされた、私たちがバンドで出演していた初回はイクラちゃんという「MOON DOGS」というコーラスグループの人が司会をしていた。その後釜というわけだ。

番組は2週分を1日で録る収録で、月に2回も本牧の「アポロシアター」まで通わなければならなかった。

毎回一人で自分のバンド用に買った機材車で通っていたのだけれど、ギャラもたいして出なくて学生の私は本牧まで通うのが苦痛になった。

私は番組スポンサーの偉い人が見に来る収録日を狙って、カメラの回っている本番中に突然ステージでズボンをパンツごと脱いで下半身をすべて露出した。当然その場でクビになった。ドンマイ。

最初の就職——

その頃は大学でも
「あなたの犬になるからバンドを一緒にやりたい」という女の先輩を部屋に監禁して犬にして遊んでいたり、ドラァグクイーンみたく女装してクラブに遊びに行ったり。映画をいっぱい観たり、浅川マキや美輪明宏のライブに通って、ＳＫＡやラテン音楽のＤＪをしたりしていた。まあ普通の楽しい学生時代を送っていた。享楽的な学生時代だった。今思えばやはりバブルだった。

話を戻そう。
そうこうしているうちに大学も３年の秋、就職とか先のことを考えなきゃならない時期が迫ってきた。当時の世の中はまだバブル。今となって見返せばバブル崩壊前夜だった。

大学３年の正月明けくらいから代官山にある空間プロデュースの会社に入った。まずはアルバイトとかではなくて、いきなり月給で雇用された。バブルだったのでいわゆる青田買い、他の会社に行かないように焼肉屋に連れて行かれて、そこの取締役の一人に説得された。焼肉を口に入れる瞬間に
「お前は就活とかしないよな？」って言われた。
私は肉で口いっぱいになっていて返事が出来なかった。バブル期には「空間プロデューサー」という肩書の有名人の先生みたいな人が世の中にたくさんいて、要するに店舗デザ

インと施工会社と不動産店舗リーシング会社が一緒になったような会社だった。

大学はすでに週2日だけ、木曜日の午前中と土曜日に行けばよい状況になっていた。社会学科という緩い学部で、論文もなく講義のほとんどを影武者に代わりに行ってもらっていた。大学時代、授業を受けた記憶が全くない。大学の記憶はサークルの音楽スタジオとバンド合宿の記憶だけだった。

空間プロデュースの会社は「ケイ&アソシエイツ」。

小橋さんという人が代表の会社だった。バブルで年々売り上げが倍増していた。

その会社は急に事業拡大していたためか、代官山にいくつか事務所が点在していた。私は並木橋上のY's BED&BATHのショールームの2階にあった事務所に通った。会社は常に即戦力を求めており、引き抜きヘッドハントの人ばかりの中、新卒どころか学生なんていうのは私一人だった。すでに数百人の会社になっていた。私が入社した時のその会社は数十億円から百数十億円に売り上げが伸びた段階だった。

ラフォーレとかビブレとかＯＰＡとかの全国のファッションビルの企画、リーシングなどを請け負っており、オクトパスアーミーとかエルセーヌ、長谷川実業（現グローバルダイニング）の内装などもやっていたのを記憶している。

その会社で私は若くて面白そうなのが入ってきたということになり、社長室直属の企画室というところに配属された。事業の企画書を作る部署だった。最初は先輩の案件のアシスタントを数件やっていたらいきなり担当の案件を渡された。

ある日会社のデスクの上に、越谷のダイエーの前に広い敷地を所有している地主の名刺と、土地の住所の地図が置いてあった。そこにロードサイドの複合施設を作る提案を地主にしてこいっていうことだった。

やらなければならないのは市場調査と商圏調査、MD調査をしてどのブランドのどの業態がハマるか、大家さん側と出店側の両方に事業計画を提案して、土地を担保に借入してもらい事業を起こしてもらうという仕事だった。

しかしこちらは大学生である。何もわからない。とはいえ、ここで出来ませんと言うとコピー取りなど単純な雑用係をやらされるのは目に見えている。そんなことは私のプライド的に許されない。先輩の資料を参考にすれば出来るだろうと思い、すべての仕事は受けた。仕事を受けてからが大変でめちゃくちゃ勉強した。PLやBSの組み方からマーケティング、様々な事業業態の企業文化を勉強してテナント側や大家側を説得できるよう、また私自身に興味をひかれるようなプレゼンをした。

同じように盛岡の案件を担当した。バスターミナル前の倒産閉店した大型スーパー「長崎屋」の跡地をファッションビルに作り直すという案件だった。市場調査や競合ビル調査などに盛岡に通っている時、そもそもその元スーパーがつぶれた経緯を調べているうちに、バブルが崩壊し始めていることを感じた。自分の会社の仕事の進め方もおかしくなってきていた。

ファッションビルというのは売り上げ歩合で決まった家賃をテナントが大家に支払う仕

組みになっている。よって大家の家賃収入は各店舗からの売り上げから割り出されるため、様々な業態、アパレルはもとより、飲食店、本屋、CD屋、美容院、エステ、スポーツクラブなどの内装費用から出店費用、売り上げから経費、利益率などすべての数字をいろいろな手を使って収集し把握した。当然だがそれらを把握しないと大家の家賃収入、事業計画が割り出せない。

当時の銀行の借入金利は7％から8％で、今では考えられない高さだった。私が作った事業計画書もいわゆる店舗型の商業施設で、ハコ型のためせいぜい売り上げは毎年5％の伸びが限界だった。

しかし上司に計画書を確認してもらうと滅茶苦茶な数字に書き直せと指示された。銀行も同罪でそんなありえない事業計画書でもじゃぶじゃぶと融資を通すということがまかり通っていた。こんなようなことが当時のバブルを形成していた。

まさに我々がバブルを作っていた。

私はやばいと思っていた。これは虚像だ。私がプレゼンした相手側を騙すことになると思った。

特に大家側が数年先にこのような高金利を返済できなくなり、破綻することは目に見えていた。しかしながら私はそのまま大学4年の終わりを迎えようとしていたのだった。

起業――

そんなタイミングでニュースが飛び込んできた。商法改正のニュースだった。1991年の4月1日から有限会社設立にかかる資本金が、それまで50万円だったのが今後は300万円必要になるというニュースだった。株式会社にいたっては1000万円が必要になるとのことだった。

そのニュースを聴いて私はなんだか判らなかったが焦った。その時までは起業するとか考えてもいなかったのだが、締め切りの時間が無いということからとにかく会社作らなきゃと思った。もちろんそんなお金はなかったのでとにかく50万円だけなんとかかき集めた。

代官山の会社で働いてみて、**人のせいにするのが許される環境に自分を置くことや、自分の人生に自分が責任をとれないような生き方をするのが性に合わない、**と明確に感じていた。自分に納得の出来ない、理不尽な仕事の仕方を突き付けられることが苦痛に感じた。勉強になった。

同時に世の中は茶番だと思った。

あととにかく朝起きるのが幼少の頃から苦手だ。さらには満員電車も苦手だ。まともな勤め人には向いていない、いわゆる**社会不適合者**だ。将来の理想というやりたいことよりやりたくない事の方がはっきりわかっていた。

フリーランスとして出来る仕事をするか起業するしかない。

とにかく急いで会社を登記した。**登記日は1991年3月18日、有限会社 BIG BOSS。**

ギリギリセーフだ。何がセーフなのだかわからなかったがとにかく間に合った。大学卒業と同じ月のタイミングだった。

とりあえず仕事なんかない。実は最初はもう一人、この起業に際してパートナーがいた。佐藤という男。博報堂でデザインの仕事を請け負っているということを言っていたが、実際の仕事をしているのを私は見ていない。

登記した時の取締役は私とその佐藤という男の2人だった。

私は代官山の空間プロデュースの会社ケイ&アソシエイツはまだ続けていた。自分の会社にはまだ仕事がなかったのと、もう少し会社というもの、勤め人というもの、雇うとか雇われるということを勉強するためにもう少し在籍しようと思った。当時は、ここにいれば会社というものの順調な状態の時も悪い状態の時も見られると思った。

登記した会社の出資者は私一人だった。佐藤は名前だけ。佐藤はたまに私の働く代官山の会社まで金を借りに来た。経費をくれとか言って。

彼がデザイナーだということもあり、**まずは会社をデザイン事務所として立ち上げた。**私もAD（アートディレクター）みたいなことをやった。バブルが崩壊してMacintoshが普及しだして、自分たち若者が入り込めるような隙間ができた時代だった。

それまでのグラフィックデザインは、紙にトレーシングペーパー敷いてトンボ引いてなんてかなりアナログなことをしていました。Macの登場は我々若者にとってパワーシフトの時代となった。それまでの日本のパソコンのシェアはNECの98NOTEというものが市場を席捲していた時代でした。バザールでござーる。

少しずつ細かい仕事を請けるようになった。イベントのフライヤーや企画モノのＣＤジャケットなどを請け負うようになり、レコード会社に出入りするようになった。私もアートディレクターの「堀内誠一」氏や「浜野安宏」氏が好きだったので、そんな風な仕事をしたいかも、と思うようになっていた。彼らの仕事を見つける度に興奮したのを覚えている。**このころの日本は「Ｍａｃ普及とバブル崩壊」の時代でしたが、現在の「ＳＮＳの普及とコロナ禍」でめちゃくちゃになっている状況とは似ている**ところがあると思う。

佐藤と私は下北沢の「ロックマザー」というバーに毎週集まっていた。お互いの友達伝いで集めた武蔵美、多摩美、造形大、女子美などのアートスクールの元気な連中をまとめていた。バブル崩壊で生まれた廃墟ビルなどで、若いクリエイターやアートスクールの学生などを集めてワンナイトクラブと称して文化祭のようなイベントなどをやったりしていた。

浜町のかつおぶし工場の跡地にて2日間ぶっ通しで行ったイベントにはムスタングA.K.Aなどが出ていた。そこのボーカルはのちの三宿「Ｗｅｂ」の初代店長のマービンだった。

バンドがあったり、ＤＪがいたり、ファッションショーをしたり、フリーマーケットをしたり、美容師が出張カットしに来ていたり、画家がライブペインティングしたりして過ごしていた。

バブル崩壊は奇しくも若者の新しい活動のエネルギーを発揮できる場所を与えることと

なっていた。

とにかく私は社長になりました。「BIG BOSS／ビックボス」という佐藤が付けた超絶ダサい名前の会社の社長になったのでした。

会社を作ったということは、自力で生きると腹を括ったということでした。

最初の音楽プロデュース――

私はそもそも**人から仕事を下請けとしてもらっていたのでは、雇われているのとなんら変わらないと思っていたので、自分で仕事を創造することを考えていました。**

若者であることが優位に働いて、お金が無くても始められる仕事は、必然的にデザインや音楽、書籍企画などのソフトの企画制作しかないと思った。**仕事が無いならば必然と自分で作るしかないと思っていた。**

また、朝が苦手な理由として血圧が低い。日々だるいのである。だるさを解決するために刺激的な仕事や趣味を好んでする、という傾向にある。のちに始めるカフェインの濃いカフェ開業もそうだし、アーティストプロデュースや、あまり口外できないような刺激的な趣味などは、私が日々眠いからやっているともいえる。**目を覚ますために仕事をしている。**人生はなるべくしてなるのである。

私の最初の音楽プロデュースは自分の会社 BIG BOSS を立ち上げてすぐに「牧伸二」という大御所の漫談家をレゲエでプロデュースをしたことだった。モッズメーデーというロックイベントで牧伸二さんを見つけて、カセットテープをもらったのがきっかけでした。一世を風靡した「ああ、やんなっちゃった」という曲。原曲はハワイアンの「タフアフアイ」。私はその曲の裏打ちのリズムが強いことに目をつけて、当時の牧伸二氏の所属事務所の佐藤事務所に直談判に行きました。それは渋谷でした。

「これ、レゲエでやりましょう。」と大学卒業したばかりの私は臆面もなく初対面の当時、牧伸二さんのマネージャーの高田さんに言いに行ったのでした。

企画が通って、その夏にライブイベントをやることになった。当時通っていた恵比寿の「次郎長Bar」で知り合ったS-KENが仕切っていた後楽園ルナパークという会場で「牧伸二レゲエで復活！夏だ！レゲエだ！牧伸二！」というイベントをやった。そこに「ランキン・タクシー」さんや「チャッピー」さんなどをブッキングした。

イベントは大成功した。２０００人超の満員御礼。その夏の「ルナパーク」の最高動員を記録した。

その時の後楽園側の広告代理店がクラブハウスという会社で、そこの学生スタッフに白川くん水谷くん伊藤くんの３人がいて、特に白川くんは、その後一緒に仕事をするようになる。

同年のルナパークでは他の日にNEW WORLDの後藤氏が仕掛けた「山本リンダのハウスプロジェクト」や「オルケスタ・デ・ラルス」の凱旋公演があったが、それらよりも客が入った。

このころ**時期を同じくして若き音楽プロダクション経営者が何人か生まれた**のだった。NEW WORLDもたしかワンナイトクラブといって廃墟ビルを貸し切ってクラブイベントやっていたのが会社設立するきっかけだったと思う。アーティマージュの浅川さんも同じ時期だったと記憶している。

時期はずいぶん違うがアソビシステムなんかもクラブイベントから出来た事務所だ。

そして東芝ＥＭＩで牧伸二のシングルＣＤを発売させてもらうことになる。これが私の初のＣＤプロデュースとなる。当時の東芝ＥＭＩの担当者は西さん。長い付き合いになる。昨年まで学生だった私が、やったことがないことを平然とした顔で請け負っていたのです。

2/77

やったことが無いことをやらなければ、成長はない

「やったことがないので出来ません」という言葉を聞いたことがあります。

ある若者が、言い切ったのです。しかし、はたしてそれは本当にそうなのでしょうか？

やったことがないことをやらなければ、人間は成長できません。

赤ちゃんは何もできません。はじめは自分でご飯を食べることも、トイレへ行くことも、話すことすらできません。出来なくて当たり前です。

皆、もとは赤ちゃんだったのです。どんな人も皆、やったことが無いことをやってみて、成長してきたのです。練習して、勉強して、今までやってきたはずなのです。

その若者は、そう言い切ってしまったことで、勝手に自分で自分の成長を止めてしまったのです。

はじめてやることはワクワクするのではないのでしょうか？

やってみたことのないことが出来るようになり、知らなかったことを知る。それは何事にも代えがたい喜びがあるのではないのでしょうか？**毎日が新しい発見であり、冒険なのです。**

商売をする、ということは、やりながら試行錯誤を繰り返すことなのですから。

完全なる独立――

そして私は代官山の会社「ケイ&アソシエイツ」を1991年の年末に辞めることとなる。2足の草鞋を脱ぐ時が来た。バブルが崩壊して、そこも無理矢理な仕事の取り方をするようになっていました。その会社がY'sと一緒に作ったプライベートブランドの商品の出来上がりも酷かった。山本耀司さんの眠くなるアコースティックライブにも付き合いで無理やり動員させられたりもした。

そこはファッションビルの企画を請け負ってブランド選定からフロア構成、リーシング交渉までするので、全国のファッションビルの一番良い場所を自社ブランドで確保できるという目論見だった。

誰が見ても量販店の既製品のようなクオリティの試作商品が上がってきたので私は愕然とした。

あと決定的だったのは、私がプレゼンした盛岡のファッションビル案件が通ってしまい現場管理の人手不足だということで企画した私に盛岡に行けという辞令が出たことだった。もともと「長崎屋」という大型スーパー跡地でエスカレーターの位置が悪く、躯体の改修が必要なため施工に2年はかかるとのことだった。そして私はもう学生ではなかった。自分の作った会社との2足の草鞋を履いていたので当然盛岡に行くことは出来ず。私はこのタイミングで代官山の「ケイ&アソシエイツ」を辞めることになった。

その会社はちょうどその1年後に倒産した。負債百数十億と新聞に載っていた。最後にはゴルフ場の開発などに手を出していたようでした。当時はゴルフ場もたくさん潰れました。

「ケイ&アソシエイツ」で働いていた方々はタフな人が多かった職場だったので心配はしなかった。それぞれがタフに生き抜いていると聞いている。

そんな時、私はというと、古いエログロナンセンス本や古い「奇譚クラブ」「えろちか」「百万人のよる」などの1950年前後から1970年代のエロ本の収集をしており、エロチックアートに通じる人物として当時創刊したばかりの「週刊SPA」のフェチ特集で巻頭カラーページを飾るなどしていた。渋谷を着流しで闊歩していた写真が使われたりしていた。トニー大谷は自分でもよくわからない人物となっていた。

自分を見失いがちな若気の至りだったが、いろいろな媒体に文章を寄稿したりした。

皆も趣味を突き詰めて仕事にするべきだと思う。趣味は突き詰めると専門家として仕事になります。

しかしながら、いよいよ自分の会社「BIG BOSS」だけで飯を食わなければならなくなった。浜町のかつおぶし工場跡地やルナパークやDJバーなどでのイベントの成功を収め、細々とデザイン業務はやりつつ次から次に早いペースでイベントを企画していったのだった。

そしてEBIS303という貸ホールにてファッションショーと生バンドのライブを融合させた大きめのイベントをやることになった。

イベントの失敗と借金――

EBIS303のイベントは何もない会場にステージを設営して、音響会社と照明会社に外注をしてかなり大掛かりに行われた。舞台周りは共立に外注したのだったな。

設営の部分は佐藤に任せ、私はブッキングなどの内容のやり取りを行った。

私は「DIP IN THE POOL」、「スチャダラパー」、「スリル」などのアーティストと十数組の若手デザイナーのブランドのファッションショーをブッキングし企画した。

少し記憶に自信がないのですが「TRUE FIT TOKYO」というイベントタイトルだったような気がします。たしか私が付けたのですが、悪い記憶は忘れるものです。

イベントは大失敗。悪い意味でちゃんとし過ぎた。オルタナティブな若手ブランドのショーをやるのに凄くちゃんとした会場でちゃんとした挙句、イメージとしてつまらないものに見えてしまったのだ。

もうステージで行われていることも悪い夢を見ているようだったのでうろ覚えでしかありませんが、内容は素晴らしいものでした。演者さんたちは私の理想通りによくやってくれた。バンドの生演奏に合わせてファッションショーが行われ、夢のような華やかな景色が広がっていました。若いエネルギーに満ちていました。しかし集客は散々たるものだったし、そもそも満員になっても大きな損害が出ることがイベント当日にはすでに決まっていました。

物凄く疲れた。

イベントの日は現場でバッティングした当時の彼女たちを4人、順番に車で家まで送っていったのだが私はもうそれどころではなかった。その日は結局一人で部屋に帰って泥のように眠った。

私はその時、三軒茶屋から下北沢の代沢5丁目というところに引っ越していました。茶沢通り沿いの木造アパートの2階。1階には「2丁目3番地」という雑貨屋があった古いアパートだった。

まだ当時は自宅が会社だった。イベントの翌日、朝から電話が鳴りっぱなしだった。全く電話に出る気が起きず。布団から出る気も起きず。いろいろな夢を見た。

なんだかわからない大きい黒いものや、米軍の撃つ弾をよけながら追いかけられる夢と自分が幼い頃の景色が交互に現れた。このままどうなるのだろうと思って震えて泣けてきた。そして眠り続けた。

そして3日間寝たところでさすがに寝ることに飽きて電話に出ました。音響会社、照明会社、舞台屋からの電話だっていうのは留守電設定で録音される時に聞こえてきていたため判っていました。そういえば共同経営者の佐藤からの電話はなかった。

イベントの損害を計算してみた。ざっと600万円。大学卒業時に会社を作ってから1年半程経っていました。

今となっては600万円なんて大した額じゃないと思えるかもしれませんが、当時、東京で孤独を感じながらも自力で生きている若者の私にとっては大金だと思えた。会社を作った以上はすべて自分で責任を取る覚悟はできていたし、絶対に親に泣きつくなんてことは出来ないと思っていた。少しのあいだ途方に暮れるには十分な金額でした。

3日間寝たことで気が付いたことがある。**死なないこと。**たかだか数百万の借金では死なないこと、殺されないことに気が付いた。これがその後の私の大きな収穫となった。

この時私はまだ24歳。死なない。死なないということは生きなければならない。生きるということはまだ仕事をしなければならない。寝ていても仕事は来ない。自分から動かなければ仕事はないのである。

佐藤は音信不通。ツテもコネもない私はワープロに向かった。

仕事を創らなきゃ。自分で創らなきゃ大金は返せない、とその時悟りました。とにかくその時点で考えうる企画を絞り出してワープロに打ち込んだ。その時、確か13種類の企画書を作った覚えがあります。企画をすると元気になり、笑う余裕が出てきていました。

現在も自分で仕事を創る癖がこのころから変わっていない。**仕事を創って秒速で実現する。**

この時の**大きな収穫は、もはや普通に勤めては返せない金額の借金を負ったこと**でした。デザインの仕事を地道にやっていては返せない大きな金額のこの借金が無ければ、だらだらと小銭を稼いで過ごす人生になっていたのかもしれない。
1992年の秋の出来事でした。

22/77

人脈などいらない、成果を出せばおのずと出来るもの

とはいえ私にはツテもコネもなかった。
地方出身者である上に、同級生達は全員、当然ながら新入社員のペーペー世代ですし、無理もありません。

結局は、ツテとかコネとかはきっかけになっても、後の人脈は実力次第になります。やっていることが他人に興味を持たれるような面白そうなことであったり、またはある程度の成功を収めるようになれば、自然とそれなりの人脈は出来てくるものなのです。
そして、やはり人間的な魅力があれば、おのずと人脈は広がります。

人脈を広げたいと思っている人は、**まず人間的魅力を磨いてください。**

お金も、コネも、本当に何もなかったけど、自由だけはあった。

3日寝てからの復活――

3日寝てから起きて、とにかく企画書を作りまくった。また本屋に行って「マスコミ電話帳」「芸能界紳士録」という本を買ってきた。今では信じられないかもしれませんが、レコード会社やテレビ局、出版社の部長以上の偉い人の連絡先が自宅住所はおろか電話番号まで載っていたデータ本が本屋に売っていたのでした。もちろんインターネットはまだ存在しませんでした。

考えうる企画をすべて企画書にしてすぐに、その電話帳で電話をしまくった。

1日に新しい人6人とアポイントを取るノルマを自分に課した。

出版社、代理店、レコード会社、テレビ制作会社、エロビデオの会社まで色々な人と会った。バブルが崩壊して、大きな会社もなんとなく若い人の意見を聞いてくれるようになったとも感じた。

同時にイベント製作費未払いの会社に頭を下げて少しだけ返済を待ってもらった。銀行にも行った。当時の第一勧業銀行北沢支店。1期目の決算が出ていたので半分の300万は借りられた。

実はイベントの負債は900万円あった。「光GENJI」をやめた諸星くんのマネジメントなどしていたTEAMというプロダクション会社の深沢さんという少し年上の先輩がイベントに興味を持ってくれて絡んでいた。

その表参道にあったTEAMがイベントの広告代理店を申し出てくれていたのですが、イベントの失敗の責任を感じてくれて300万円を補填してくれた。深沢さんは当時「SYSTEM-D」という2人組のアーティストのマネージャーをやっていた。そのメンバーの片方は元「SALLY」で現「paris match」の杉山洋介さんで今でも仲良くしてもらっている。レコード会社の担当はフォーライフの柳沢さん。田辺エージェンシー時代は「ZOO」のマネージャー。メーカーでは「DOUBLE」、「Kyoto Jazz Massive」、「Mondo Grosso」などを担当していた。

TEAMの深沢さんやフォーライフの柳沢さんとはそのころよく遊んだ。

話を戻す。

企画書を作って、銀行に行って融資の話をつけた週に、世田谷区役所の法務局に何とかして共同創業者の佐藤を呼び出した。

イベントからは約一か月が経っていた。

融資が実行されるタイミングで佐藤には取締役を降りてもらうことにした。事前に電話で話をした時に

「俺は経営とか向いてないんだよね。辞めるわ。」と言われていた。

私は怒る気もしなかったし、すでにその時はそれどころじゃない状況だった。粛々と会社から外れてもらう処理作業を2人でやった。

「トニーはどうするの?」って聞いてくるから、

「俺はこんなことでケツまくるわけにはいかないし、音楽業界も狭いし、知り合いも多いか

ら辞められない」と伝えた。

情けない気持ちとか悔しい気持ちとかいろいろと感情がごっちゃごちゃになったけど

佐藤との会話はそれだけで淡々とその場で別れた。

これで本当に一人になった。

「ケツまくってるやつが自由なんてことは絶対に認められない。」

この言葉が、催促の電話が鳴ったりしている時に、私の頭のなかで何度もリフレインされた。

お金も、コネも、本当に全く何もなかったけど、自由だけはあった。五体満足だし、恵まれていると思った。ただ、寝ていても仕事は勝手に来ないことは間違いなかった。

生涯役に立つ、いいことをこの時に教えてもらった。

18/77

共同経営はうまくいかない

よくある間違いというのが、共同経営です。

家族経営ならまだしも、皆不安なのか、または資金不足の為焦っているのか、意外と相談を受けます。

原因は様々ですが、とにかく皆、こぞって失敗しています。

お店が、うまくいっても、いかなくても、共同経営は続きません。よく考えてください。京都の某かばん屋のように、兄弟であっても争いごとが起こっているのですから、よくある「友達同士で共同経営♡」なんていうのは言語道断なのです。平等はないのです。

まず責任の問題があります。

例えば、物件の契約書にハンコを押すのは一人です。仕入れ先への保証人も一人です。事故があった時の責任者も代表で一人です。借金する時の保証人ももちろん一人なのです。次に失敗の原因のひとつとして、個々の環境の変化があります。

独身の時に始めた共同経営の皆さんも、それぞれ結婚したり、家族の都合で引っ越さなければならなくなったり、それこそ年を取って身体にガタがくるなど、当たり前ですが最初に共同経営を始めた時とは、個々の生活の状況が変わっていきます。

他人です。必ず破綻します。皆が同じ平等な状況は永遠には続かないのです。

他人でなくとも、代々続いているお店や事業を引き継ぐならともかく、新しいお店を始めるのであれば夫婦でも共同経営はやめておいた方が良いでしょう。
不安定な一艇の船に同乗するのは危険なのです。

ホームレスに――

次は彼女を呼び出した。パソコンやレコードなどをすべて売り払って処分した部屋に呼び出した。ちなみにレコードは常盤響さんのマニュアルオブエラーズに取りに来てもらった。収集していた貴重な本などは小さなレンタル倉庫に預けた。

年下なのにしっかりした彼女だった。私が会社を作った時に、一切の悪いことはこの彼女のいうことを聞いてすべてやめた。いつもイライラしてキレッキレだった性格の私もすっかり丸くなった。

呼び出した彼女に別れることを伝えた。学生時代から3年半ほど付き合った2歳下の彼女はいつも冷静だった。泣いていたのかも覚えていない。彼女は祐天寺が実家のコだった。そしてその日に部屋を引き払うことを伝えた。

引き払うといっても大家さん宛にお詫びの手紙を書いて、部屋を出て、鍵を手紙と一緒にポストに投函した。アパートから道路に出ると、彼女は「元気でね。」とひとこと言って下北沢駅の方向に向かって帰っていった。

私は「ごめんな」と言って、どこに行く当てもなく彼女と反対方向にとぼとぼと歩いていった。

とにかくこの日から私はホームレスになった。

そのアパートは取り壊されて今は駐車場になっている。なんとなくそのアパートが跡形もなくなって今はホッとしている。いろいろなことがあったアパートがいつまでも悪い思い出として現実に残り続けて存在しているのは辛い。

なんとなく歩いた。茶沢通りを三軒茶屋方面に歩き、淡島通りから渋谷方面に歩いた。

事務所がないのは仕方ないが仕事の連絡先が無いのは困るので、代理秘書という電話だけ設定すると女の人が受け付けてくれるサービスがあり。月1万7千円のプランでそこに頼んだ。


とりあえずその日は大学の同級生の穂積の家に行ったのを覚えている。彼は三軒茶屋の実家に住んでいて、ちょうどUnited Future Organizationのマニピュレーターの作業をしていた。マニピュレーターというのは打ち込みのトラックを作る人で、当時U.F.Oとか楽器も何も出来ないDJの人達のイメージする元ネタ音源のリズム部分を作り繋げて曲にする仕事だった。穂積は
「DJとか楽器も何にも出来ないのに俺が全部やってんじゃんよこれ。」なんてことをブツブツ言いながら作業をしていた。

私はまだ新聞紙みたいな大きさのCLUB KINGが出していたフリーペーパー「DICTIONARY」を眺めながら、

「まあDJとかアイコンみたいなものだから。あれはあれで媒介になっているのだから大したものだよ。」なんて会話をしていたのを覚えている。

穂積の父親はイラストレーターの穂積和夫氏だ。義理の兄は荏開津広さんだったな。一時期。

結局朝まで穂積の家にいた。穂積も就職をしていなかった。なんか彼はもっと音楽の勉強をしたいので大学院に行きたいみたいな話をしていた。実家暮らしモラトリアムだなと私は思った。

同級生で穂積と同じくらい仲が良かったのが熊澤。イケメンだったけど、めちゃくちゃジャンキーで今でもレゲエバンドみたいなことをやっている。過去に数回警察に身元引受人として呼び出されたことがある。迷惑な奴だが、私も昔から警察を相手にすることには慣れていたし、彼はいつだって先見の明はあった。世の中の人は警察とか裁判とかの存在に過剰に反応してビビりすぎだとは今でも思う。

穂積の家を出て、さてどうしようかと思った。どうしようかと思ってもどうしようもなかった。

穂積の家でモラトリアムな存在に触れて久しぶりにゆっくりした気分になった。

それから友人宅を転々とした。クラブで朝まで遊んで知らない女の子の家に転がり込んだり、昼間は電車や誰も来ないビルの屋上を探して寝たり、昔バイトしていた雀荘で寝たりしていた。

ＴＥＡＭの深沢さんはとにかくキャバクラが好きで、よく渋谷１０９の脇のＡＩって店に行った。行く人みんな合わせて消費者金融で借りられる限度額いっぱい借りて遊んだ。うちらの世代が消費者金融を育てた自負はある。バブルの感覚はそのままにバブルがはじけたものだから、皆お金が無いのに遊んだ。

私に関しては家もないのに遊んだ。深夜のＴＶＣＭも消費者金融ばかりの時代だった。そのキャバクラにＢＩＴＣＨって呼んでいた女の子がいて、その子の下北沢の家にも毎週１日だけ行った。風呂を入れてくれて、ハンバーグを焼いてくれた。今でもそのハンバーグが旨かったことは忘れない。なぜか一人で店に呼ばれた時はいつも飲み代はタダになっていた。

ＡＩには電気グルーヴの瀧さんが来ていて、そこのキャバ嬢たちを自身のラジオ「オールナイトニッポン」に連れて行って出演させていた。

私は昔遊んでいた後輩が渋谷のチーマー連中のトップになっていて、深夜ＴＶ番組の「トゥナイト」とかに出ていたりしていて、私が渋谷のその店にいるとわざわざ気を付けして挨拶に来てくれたりしていた。こっちはジャージ姿のホームレスなのにな。当時はチーマーっていうのが流行っていたな。


生きるためにＢＩＴＣＨの他にも下北沢に４人の彼女を作った。西口の女の子、北口の女の子、そして南口の一人がＢＩＴＣＨだった。彼女の本名は忘れてしまった。最初から知らなかったのかもしれない。昼間はデザイナーの仕事をしていると言っていた。それぞれの女の子や友人は私がホームレスだってことは気付いていなかったと思う。

みんなでＡＩが終わってからキャバ嬢を引き連れて店上がりのその足で下田の温泉まで行ったことがある。朝の変な時間に着いた。温泉旅館を貸し切りで遊んで、すっからかんになったけど楽しかった。私は最初からすっからかんだったけど。
当然クレジットカードはブラックリスト入りとなった。

ホームレス時代は「勝手にしやがれ」のジャン・ポール・ベルモンドの気分だった。マイルドなヒモ状態だった。悪くないなとも思ったが当然ずっとヒモをする気はなかった。社長だし。

同じ女の子の家には週に2日以上いないように心掛けた。誰とも同棲する気はなかった。夜遅くに行って翌日の昼頃には部屋から出て行っていた。

こんな感じでホームレス当時は多少大変だと思ったことはあっても、自分を不幸だとは思わなかった。

最初の頃は神社に行っては水飲んだり、喉の渇きを唾で癒すために砂利を口に含んだりしていたが、気候の良い時以外はずっと公園で寝ている訳でもないし。元ボーイスカウトでアウトドアには慣れているし。クラブとかは顔パスで入れたし。自分で決められる人生になんの不満もなかった。

ホームレスになることよりも、自分の人生を自分で決められないかもしれない恐怖が許せなかった。田舎で農業をやって自給自足で生きようって人と近い感覚なのかもしれない。違うか。

最近はホームレス時代が幸せだったと感じる。今となってはこちらから人に具体的にしてあげられることがあっても、なかなか人からわかりやすく優しくしてもらうという実感がない。あの頃は人の優しさがいちいち染みた。幸せな時代だった。ハンバーグ旨かった。

ホームレスからの復活――

そうこうしているうちも昼間はいろんな会社にプレゼンに行った。仕事くださいというスタンスではなく、あくまでも面白そうな若いプロデューサーが良い企画持ってきたので仕事しますよ、の上からのスタンスで。笑。

フリーランスの方々に言うが、**「なんでも良いので仕事ください」って言うのは今でも絶対に言っちゃあダメな言葉**だと思う。

我ながら20代前半で何様だって感じだった。「武士は食わねど高楊枝」。武士じゃないのに。

そうこうしているうちに雑誌の企画が通った。「ぴあ」って雑誌の別冊企画を2冊やることになった。外部の編集プロダクションを使って作った。「占いぴあ」だったか、そんな感じのを別にもう一冊作らせてもらった。

そして音楽の企画が通った。引き続き牧伸二さんのアルバムを日本コロムビアで作らせてもらった。行きつけだった恵比寿の「次郎長Bａｒ」のスタッフの女の子達4人の「マンゴバカン」と牧伸二さんとグループを組んで、パノラママンボボーイズのコモエスタ八重樫さんとハワイアンの大御所、山口軍一さんと東阪クアトロツアーに行ったりした。

古い音源のコンピレーションなどを監修する仕事もいくつかして、フォークレーベルのＵＲＣのコンピレーションを監修した時は、当時まだデビューして間もないサニーデイ・

サービスの曽我部くんにライナーノーツを書いてもらったりした。コンピレーションの仕事は楽しかった。古いレコード会社の倉庫でオープンリール漁りをするのは幸せだった。
いろいろな未発表音源を見つけたりしていた。浅川マキのフォークジャンボリーでのライブ音源や、大瀧詠一と金延幸子カップルの酔っぱらった状態の御苑スタジオでの「時にまかせて」などを興奮して聞いた。付き合っていたのね。

こんな感じで仕事をある程度請けるようになり、1994年秋、渋谷1丁目に事務所兼自宅を借りられるようになった。結果的に音楽周りの仕事がメインとなった。
ホームレス期間は結局2年弱くらい続いた。ホームレスが終わった。

ルナパークでの「牧伸二」イベントの時の代理店、クラブハウスにいた電脳デザイナーの白川くんのところでアシスタントをしていたゲラという女の子が弊社の初めての社員になった。私はその時ヤスコという女の子と付き合い始めていた。彼女の声は「yes,mama ok?」のCDに収められている。

そのあとすぐに大学の後輩だった岩田を会社に誘った。渋谷の新しい事務所はまずゲラと岩田と私の3人で始まった。

社員になった大学の後輩の岩田に、
「そういえば大学の音楽サークルに原田っていう歌のうまい女の子いたよね?」って言ってその後輩を誘ってを日本コロムビアからデビューさせた。

最初の頃はよくわからないままにアーティストをメジャーレコード会社でデビューさせ

ていた。

今でも思うが、それらしく若者が「このアーティストの面倒をみるのでレコード出させてください。」とレコード会社に言えば、ほとんど通るのではないだろうか。だって20代前半の若者が「このバンド売れますし生活の面倒みますから。」って言ったらオジサン達はじゃあやってみなさいよってなるよね。俺がその立場のオジサンだったらそうする。

原田は最初の所属アーティスト「Yes,mama ok?」と同じく日本コロムビアで「YOKO」としてデビューさせて、ロンドンのマッドプロフェッサーのところにレコーディングに行った。

後楽園で「牧伸二」イベントの手伝いをしてくれた冨田くんとロンドンに行った。冨田くんは後にavexで「浜崎あゆみ」の担当ディレクターとなる。一緒に行ったレコーディングの旅は楽しかった。

のちの「MISIA」のプロデュースで活躍する「COSA NOSTRA」の佐々木潤氏や朝本浩史氏、当時「東京スカパラダイスオーケストラ」のASA-CHANGや、まだプロデュース業を始めたばかりの今井了介くんなどに仕事を頼んだ。ちょっと早かったな。

また、このころ最初の牧伸二さんのシングルでお世話になった東芝EMIの西さんからよく仕事をもらった。ゲーム「TOWER」のサントラ盤は小山田圭吾くんに主題歌をやってもらった。

バイオリニストの高嶋ちさ子さんには「Chocolate Fashion」という名義で歌を歌わせた。歌を歌ったのは後にも先にも1996年発売の曲「イングリッシュマフィンのおまじない」だけだろう。これは所属していた「yes,mama ok?」金剛地くんによる楽曲プロデュース。ちさ子ちゃんは本当に嫌がっていたし。私と同じ年で当時25歳だった。当時はかわいかった。笑。

そのREMIX盤は当時、朝本浩史氏、宮崎泉氏、高宮永徹氏、寺田創一氏、吉澤はじめ氏などに頼んだ。

そういえば朝本さんは、今から数年前、弊社で作家としてエージェント契約をする直前に自転車で交通事故にあってしまったのだった。目が凄く悪かったから、それが影響したのかもしれない。最期に朝本さん本人から営業してくれと頼まれたデモテープはまだ私の手元にある。残念だった。もっとたくさん仕事をしたかった。

東芝EMIの西さんはその後、みうらじゅん氏関連の仕事を弊社に沢山持ってくるようになる。担当するアーティストや企画的に締め切りが厳しい状況になることが多かったのだろう。本当に締め切りを守らないから。特に「勝手に観光協会」での相方の安斎さんのイラストが遅かった。

田口トモロヲさんとの「ブロンソンズ」やバンド「大島渚」の曲が収録されたベスト盤も弊社からリリースされている。

それでも引き続き最初の頃は、古い音源でコンピレーションを作ったり音源を発掘したりしていた。常田富士夫やユリ・ゲラーの音源などリリースした。しかし古い音源に資源としての限界があり、このようにアーティストを見つけてレーベルを作ることを始めて会社を形にしていった。

最初はデザイン事務所(有)BIG BOSS内のレーベルLD&K Recordsとして始めたのだが、数タイトル発表後に（株）ＬＤ＆Ｋとしてレーベル事業を独立させ法人成りすることとなる。（有）BIG BOSSはデザイン事務所として今は（有）COCKNEY GRAPHIXと名前を変えて存在している。ワンパク水野が部長になってもう２０年くらいになるのかな。そちらも私がオーナー兼代表の会社です。

とにかく１９９５年の１１月３０日に株式会社ＬＤ＆Ｋを音楽事務所として改めて登記しなおしたのでした。

5/77

人生が終わらなければ、失敗は確定しない

失敗するのが怖くて行動できない人は多いと思います。

「独立して成功するのは３００人に１人」

「１０年以上続く会社は３％程度、９７％の会社は潰れている」などという情報もありよけいに行動できなくなっているのかもしれません。

しかし、こういった統計は統廃合や整理も含むので実際は「潰れた」とは言い切れない法人が多いでしょう。気にすることはありません。中には１人で5回失敗している人もいるでしょう。

こう言ってはなんですが、そもそも成功の定義は数字では表せないもの、失敗を恐れることはありません。

私の肌感覚では、独立して成功するのは２０人に１人。その定義は１人の人が２０回挑戦してみて成功するのは1回、という捉え方もできます。それで良いのです。人は起業すれば必ず失敗するものです。ピンチの時にどう対処するかが成功の鍵なのです。

失敗してもある意味、勉強。人生が終わらなければ、失敗は確定しないのです。とにかく成功するまで絶対に死なないことです。NEVER GIVE UP。長生きしましょう。

LD&K本格始動――

立ち上げたLD&K Recordsの1番目のタイトルは「Baby Allstars」という子供たちがフレンチポップとラバーズロックレゲエのカバーを歌う企画盤。CDの企画をコロムビアでプロデュースしたものを、同タイトルのアナログ盤2枚をBIG BOSS内LD&K Recordsからリリースした。

当時小学生だったCrystal Kayが数曲歌ってくれている。

当時は溝の口のHAL Studioばかり使っていた。三好さんには長くお世話になった。Crystal Kayはお母さんに連れて来られて、夕方「クレヨンしんちゃん」が観たいとグズってお母さんにトイレで怒られていたことを思い出す。

HAL Studioの駐車場で20代当時乗っていた縦目のベンツが炎上したことも思い出した。ボンネットを開けたら中華鍋のようにエンジンから炎があがった。スタジオに駆け込んで消火器を借りた思い出がある。昔から古い悪い車が好きだった。面倒くさいけど。

20代は縦目のベンツ。その後、ジャガーのダブルシックスという車の同じ形を5台乗り継ぎ、並行してポルシェの75年式スピードスターを一時所有していたが、現在は1970年製のジャガーEタイプに乗っている。超面倒臭いです。これは余談。

アーティストとして事務所に最初に所属したのは「Yes,mama ok?」という3人組グループ。

そろそろ企画盤だけでなく新しいアーティストをプロデュースしなければと思っていた。初めて彼らのライブを観たのは代々木のチョコレートシティだった。このグループのリーダーで作詞作曲アレンジの全てをしていたのが金剛地くん。「Baby Allstars」の企画を進める時にはすでに「Yes,mama ok?」を事務所に所属させることは決まっていて、金剛地くんにカバー曲のアレンジを依頼していた。

その作業のスタジオ帰り、金剛地くんに車で送ってもらうことになり車中で、新しいレーベルの名前決めなきゃならないのだけど、なんかない？って聞いたら「ＬＤ&Ｋってどう？ Living,Dining & Kitchen でＬＤ&Ｋ」って言われて、ＤＩＹな感じだし、家内制手工業のイメージだしそれいいねってことになった。だからレーベル名を名付けたのは金剛地くん。

この最初の所属アーティスト「yes,mama ok?」は弊社インディーズレーベルで3曲入りマキシシングルを3枚リリースしたところで日本コロムビアから声がかかった。当時渋谷系と言われていたものは実は京都で一番売れていた。渋谷系を支えていたのはおよそ大学生で、ＣＲＪという学生チャートに上がるものが渋谷系とされるものが多かった。そしてご存じの通り京都という街は大学の数がものすごく多い。

京都で3作とも圧倒的にチャート1位をとった「Yes,mama ok?」は京都のＦＭラジオの a-STATION でラジオ番組をやったり、まだ京阪神Ｌマガジンで編集者をやっていた田中さん（のちのＦＰＭ）にイベントに呼ばれたりしていた。日本コロムビアと契約後は事務所としてメンバーは弊社に所属した。

その頃から私は京都メトロというクラブに出入りするようになる。

弊社ＬＤ＆Ｋのアーティストがa-STATIONのレギュラー番組を歴代引き継ぐこととなった。「Yes,mama ok?」「Roboshop Mania」「FLEX LIFE」「つじあやの」といった順に番組を担当した。

私も京都には毎月行くようになっていった。京都メトロの作田くんの家に泊まって、現地で自転車を買って毎月1週間ほどは京都に滞在した。京都は自転車が便利だった。京都メトロの作田くんは面白い人で、１９９７年ころにはまだ先駆けだったハーブティを輸入したりした。メトロ以外でもメトロ系列のサンシャインカフェとかのマネジメントをしていた。スターバックスが日本に上陸した１９９６年あたりに出会っている。

なぜそう覚えているかというと、

「大谷くん、なんかシアトルからたいしたことないコーヒー豆にフレーバーかけて上手く商売しているコーヒーチェーンが東京に進出したらしいで、一緒に見に行ってくれへん？」

と言われて赤坂のスターバックスに行ったことがある。私は

「作田くん、これはラテ屋だよ。いわゆる甘味屋だから歩き疲れた東京の人で流行るかもしれないね。」と答えたのを覚えている。

ある日、作田くんに相談を受けた。南禅寺あたりを散歩中

「メトロが経営危機なんだけど、なんとかしてくれへんかな。」と言われた。
お腹がすいたので近くの湯豆腐屋にもはいって
「こんな豆腐、錦市場で買ってきたやつ、原価５％やんか。」とも言っていた。
なんか身も蓋もないこと言う作田くんが面白かった。

私は、クラブの時間の前にライブハウス運営をすることを京都メトロに勧めた。クラブは早くても２２時頃から営業だから充分ライブハウスとして回せるはずだと。ライブハウス運営のノウハウは教えるからその代わりにそこに集まるデモテープを東京のＬＤ＆Ｋに送ってくれという条件だった。

そこで「つじあやの」や「チェルシィ」を発掘することになる。京都の「OUR HOUR」というグループの紹介で後に所属する「Cymbals」にも繋がっていく。

「チェルシィ」を観に行ったイベント「ロックンロール番長集会」で「KING BROTHERS」も見つけ、リリースしデビューさせることになる。まだ彼らは１９歳かそこらだった。

作田くんにはＬＤ＆Ｋの名刺を持ってもらい、関西レコード店への営業などもしてもらった。

「つじあやの」の初期のマネージャーもしてもらっていた。

その後、「つじあやの」のマネジメントの件でこじれて、作田くんは海外に行ってしまった。

作田くんとは私が結婚した年の新婚旅行でバリ島に行った時に再会しているのだが、その時、作田くんはバリ島ウブドでヌードルショップをやっていて、日々叉焼を試作しては地元ローカル民に振る舞うという生活をしていた。

「おおたにくん、もう適当なんが良いで。らくらくが一番やで。」と言っていた。

作田くんはその後ＳＡＲＳがアジアを襲った影響でバリのヌードルショップを手放してバンコクに渡った。彼のバンコクの内縁の妻の実家がヌードルショップだとかで、その軒先で焼鳥屋を始めたのだった。そしたらまたその焼鳥屋台「東京ナンバーワン焼き鳥」が流行ったらしく、さすがになかなか商才があってしぶといなぁと思っていたら、通りの向かいで同じ作りの偽物店が３軒できたらしい、さすがアジア。そしてその後、今度は鳥インフルエンザが流行して潰すこととなる。爆笑。なかなかついてない愛すべき人である。

その後、作田くんはお店を失って暇なので、ある日その内縁の妻だかとネパールの方に２人でトレッキングしていると連絡があった。そんな時に、インドネシアの大地震と津波があった。

心配で連絡してみたら、メールで

「おおつなみながれてしまえこのおんな」という俳句が送られてきた。

元気そうでなによりだと思った。笑。

話をすこし戻そう。

「Yes,mama ok?」は、日本コロムビアから社会人として生活できるような金額はもらえてなかった。それでメンバー３人のうち高橋くんはデザイナーとして弊社の社員になってもらった。

コロムビアから毎月もらえる育成金の３０万円は金剛地くんに２０万、マホちゃんに１０万を渡した。当然事務所には残らなかった。

高橋くんは音楽的なことは一切やらなかった。私が持っていたテナーサックスをあげたのだがたいして吹くこともせず、今でもそうだがグループでは不思議な存在。最初はデザインもディレクションだけは私がやっていたが、高橋くんは写真もデザインもすぐに出来た。もともと器用な人でセンスが合う。

ボーカルのマホちゃんが脱退したのを理由に「Yes,mama ok?」は日本コロムビアから契約を切られた。そして高橋くんはグループ自体が弊社ＬＤ＆Ｋも離れた時に退社して、数年経った時に再会して、それからまた一緒に仕事をするようになる。

高橋くんは空間デザイナーになっていた。それから弊社飲食店舗のほとんどが彼との仕事になっている。

２０１１年に「UDAGAWA CAFE BOOK」という本を出版した。その時の高橋くんとの対談をここに再掲する。（出てくる歴史経過にさらに１０年程足して読んでください。）

UDAGAWA CAFE対談

大谷秀政（LD&K）

高橋晃（kloka）

宇田川カフェオーナー・大谷秀政と、ＬＤ＆Ｋが出店したほぼすべての店舗設計を担当するクローカの高橋晃。２０年来の付き合いだという二人、実は高橋のデザイナー人生は大谷の無茶ぶりから始まった…！？そんな２人の出会いから宇田川カフェ秘話までおおいに語りました。

出会った時はアーティスト

大谷　知り合ってもう何年？

高橋　…２０年くらいですか？だって俺が大学出てすぐくらいですよ。

大谷　あぁ、そっか最初はアーティストとしてね。

高橋　そうそう、確か代々木チョコレートシティに大谷さんが観に来てくれた時じゃないですかね。

大谷　だって最初、建設会社に入ってたもんね。

高橋　はい、バリバリのサラリーマンでした。大谷さんと会った時は、金剛地くんから「「yes,mama ok?」が代チョコでライブやるから、マラカスもってキチ○イのフリをして踊ってくれ」って言われて、嫌だなぁと思いながら出たんですよ。その時大谷さんが来ていたのは知らなかったんですけどね。その後、金剛地くんからデモテープを録ってくれるって人が現れたと聞いて。それ持ってＣＤ出してくれるかもしれないからって言われて、じゃあ面白そうだから yes,mama ok? に正式に参加するわと。

大谷　それきっかけなんだ（笑）？

高橋　だって楽しそうじゃないですか？サラリーマンやっている身からしたら。今と違ってインディーズがどうこうじゃなくて、CD出すこと自体がスゴイっていう。

大谷　その頃はCDというものが出たばっかりでインディーズレーベルもあまりなかったからね。俺らの頃は5個くらいしか無かったよ。殺害塩化ビニールとかナゴムとか、いわゆる下北沢系のKOGAとかあとクルーエルとかがいて。渋谷系とかの全然前だもの。あいうレーベルって当時まだ流通がなくてさ。ダイキサウンドとかもなくて。

高橋　「PCM腹立つわー、いつか自分とこでやったるぜー」って言ってましたよ。

大谷　基本的に腹立ってるからね、俺ね（笑）

高橋　大谷さん怖ぇから、もぉ（笑）。だって実は自分と同い年じゃないすか。でも、そういうつもりで接しようと最初から思ってないっすよ。もう永遠の弟キャラでいます！　バンドの話に戻りますけど、デモテープを録ってもらえる＝スターになれるって思ったんですよ。馬鹿なんだけど、チャラチャラできると思って。

大谷　まあね、昔は今よりハードル高かったものね？CD出すって。

高橋　だから俺、とりあえずどういうわけかわかんないけどサックスとかブーってやるよって言って。

大谷　吹けねえのに？

高橋　吹けねえのに。他にサカイくんってサックス吹ける人がいるから、サカイくんがテナーで俺がアルトで二人でブーブーやろうと。それなのに、レコーディング前日にちゃんと吹けるサカイくんが俺辞める！って言いだしたの。

大谷　あぁ、考えたんだろうね、真面目に。高橋くんとは違って（笑）。
高橋　そうなんすよね（笑）。就職決まってちゃんと働きたいから辞めるっていきなり言われて。じゃ、高橋くんサックス決定！と
大谷　吹けないじゃん、ひとつも（笑）。
高橋　吹けない。
大谷　だって触ったことも無かったでしょ？
高橋　ないない、全然ない。それなのにいざスタジオ行ったらちゃんとしたスペックでエンジニアも勿論ちゃんといて。うぁーすげー本物のレコーディングじゃんって。これは完全に吹けないのがバレないようになんとかしなきゃと。まぁ、すぐバレたんですけど。
大谷　（笑）それゃバレるよ。
高橋　すごい時間かかっちゃって、簡単なプププとか。
大谷　そう、超簡単なやつね。ワンフレーズに凄いかかっていたよね？1000本ノックみたいになってた。
高橋　大谷さん多分すげームカついてんだろうなって思うんだけど、何も言われなくて。その時は同い年だってこととかも知らないし、青いスーツにボーズ頭で怖ぇ人だな、何だろうこの人って。それが出会いですよ。最初っから怖ぇ！みたいな。
大谷　怖くないじゃん、全然。
高橋　怖くないとわかったのはその1年後とかですね。そういえば俺、後から逸話を聞いたんですよ。大谷さんがバイトをしているって。

大谷　そうそう、あの頃はバイトしてスタジオ代捻出していたんだもの。一応会社やっているていだから夕方くらいまで社長やっているフリをして、そっから夜中バイトに行っていたんだよね。
高橋　そう。それ、後から聞いたの。あの頃スタジオ代も高くて。みんな20代だからお金無い中でもやっていたんですよね。プロデュースで牧伸二さんとかいましたけど、アーティストって初めてでしたよね。
大谷　そうそう「Yes,mama ok?」は第一弾所属アーティストだからね、うちの。
高橋　そう、第一弾アーティストなんです。
大谷　まぁ、LD&Kとしては小学生のCrystal Kayが参加している「Baby Allstars」ってグループ企画が最初だけどね。
高橋　そこからインディーズで3枚くらい出してもらって。メジャーの話もちょっと出てたんすよね？
大谷　そうそう、コロムビアね。色々売り込みに行ってたんだよね。つぅかサックス吹けないのにメジャーデビューってわけわかんないよね（笑）だって高橋くん未だに吹けないでしょ？っていうか吹けたことないよね（笑）
高橋　もっと吹けないっすよ（笑）
大谷　わははは。
高橋　あのね、最初の頃、さすがに大谷さんに「高橋くん、ちょっとヤマハ音楽教室とか行けば？」って言われたの。
大谷　だって俺より吹けないよね、きっと。だから高校一年の時に俺が自分で買って持ってたサックスをあげたんだよね。

高橋　楽器支給、音楽教室も支給（笑）。

大谷　サックスやりますったって、そもそも楽器自体持ってねぇし、おかしいじゃん！みたいな（笑）

高橋　うわぁ俺、めちゃくちゃだなぁ…めちゃくちゃですね、俺。でも何でだろう、普通だったらクビになるじゃないですか、デビューにあたって。

大谷　別にサックスいらなかったもんね？ほんとは。

高橋　何でだろう…あ、あれだ、俺マホちゃん（当時のメンバー）と付き合ってたからだ！

大谷　あ、だからだ！面倒くせー！！（笑）。

高橋　だからだ！！きったねーな俺、なんか打算あるよなぁ。

大谷　付き合っているから辞めさせられねぇと。

高橋　そうそう、マホちゃんが割と俺の言うこと聞くし、そもそも金剛地くんが扱いづらくて、俺が一番インタビューでちゃんと喋るからいいと…すげー綱渡り（笑）。そんでクビになるはずが、メジャーデビューが決まっちゃって、で、しばらくして俺、勤めてた工務店を辞めちゃったんですよね。

「高橋くん、デザイナーやんなよ」

大谷　ちょうどバブル崩壊していたしね。社会的にも揺れていたんだろうね、リストラとか世の中がめちゃめちゃだったよね。

高橋　しばらくして大谷さんに「俺、仕事辞めちゃったんですよ」って言ったら、「じゃあ高橋くん、うちでデザイナーやんなよ」って言われたの。つっても俺はその時点でデザイナーやったことないんすよ、写真は撮れるけど。

大谷　サックスにしてもデザイナーにしても、やったことがないことばっかり（笑）。

高橋　確か、辞めて1年くらい無職だった頃に撮影の仕事を振ってくれたんすよね。どこどこで写真撮ってってって。その時に「事務所借りてBIG BOSSって会社やっているから、高橋くんの机を用意したからね。デザイナーやんなよ」って。そっからですよ、俺のデザイナー人生。

大谷　ホント優秀だよね、もう。俺思うんだけどさ、機械がどうとか技術的な事よりセンスの問題なんだよね。大した事ないじゃん、技術的なことってさ。意外と。

高橋　でも、経緯を考えて思うんですけど、大谷さんって人をこう…ちゃんと見てるんですよ。いや、これはマジで！他の人には結構言ってますよ。

大谷　何？俺がスゴイって事を言いたいわけ（笑）？

高橋　そう、ちょっと持ち上げたいの（笑）。いやいや、だって俺一切グラフィックデザインやったことないのに、デザイナーやんなよなんて普通言わないっすよね？周りにもデザイナーはいっぱいいたわけだし。たぶんこのままじゃコイツしょうがねぇから何かやらせっかっていうのが8割だったと思うんすよ。

大谷　いや、そんなことないよ。

高橋　でも実際やらせてもらったらすげぇ楽しくて、グラフィックデザインが。
大谷　まぁ基本的にそうだよね、アーティストがデザイナーやってるってちょっとカッコいいじゃない。要するにソニック・ユース的というか。いわゆるインディペンデントなD.I.Yみたいな、そういうイメージ。
高橋　なるほど。それでやってみたら結構楽しくて色々といいのが出来たんですよね？
大谷　そう、出来たよね。よかったよね、あの頃の。
高橋　ビクターのスピードスターの高垣さんがなんかの本にクオリティが凄いとか書いてくれたりね。最初の頃は大谷さんが「高橋くん、こんな感じを参考にして」って古本とかから資料をネタ出ししてきてくれて。それで余計に俺頑張んなきゃいけないなーって思った。
大谷　でもそれをちゃんと理解する人としない人がいるでしょ、ネタ出ししたとしても。
高橋　そうっすね。俺はここクビになっちゃまずいし、グラフィックデザインは楽しいし、かなり一生懸命やったんすよね。で、なんかソコソコうまくいって独立しちゃったという。
大谷　独立したのって「yes,mama ok?」がメジャー切られて半年くらいのタイミングだよね。それってやっぱりマホちゃんと別れたから？（笑）。
高橋　そうですねぇ（笑）。で、事務所独立してからは大谷さんとさすがに関係が無くなっちゃったんだけど、ある日、大谷さん家のポストにチラシが入ってたんすよね？
大谷　そうそう、近所のデザイナーズマンションのチラシに大先生高橋晃が設計、みたいに書いてあって（笑）。プロフィール見たら、ちゃんとLD&K独立後って書いてあるわけよ。なんだコレって。
高橋　そう、俺は大谷さんに育ててもらったって気持ちがあるから絶対LD&Kって入れるんですよ、プロフィールに。
大谷　おー素晴らしい。すげー。
高橋　それで大谷さんから電話がかかってきたんですよね、チラシ見たよって。で、今度「宇田川カフェ」が移転するから店舗設計やってよって言われたの。
大谷　そうだね、だから高橋くんとやったカフェの仕事はその移転の工事からだよね。その後は基本的に東京の店舗は全部やってもらっているね。忙しくてすみませんね（笑）。
高橋　いやいや、最大クライアントですよ！

移転工事中の珍トラブル

大谷　「宇田川カフェ」の移転工事の話だけど、あれって結構前からお願いしていたよね？なのに、オープン10分前くらいまで何かやっていたでしょ？
高橋　いや、30秒前です（笑）。確か入り口の店の文字を付け終わったのがそのくらいっすね、今でも忘れない…。あれは、大谷さんとの関係復活だし、いい内装業者でやろうと思って、いつもと違うところとやり取りしていたんですけど、何日経ってもなかなか図面があがってこない。これはおかしいと思って業者に電話してみたら、まず電話に出なくて。そろそろ工事始めなきゃいけない時期だっていうのに出ない。で、やべーっ！ってなって業者の事務所に直接行ったら、秘書みたいな人が出てきて「会いたくないって言ってます」と。

大谷　会いたくないってねえ。

高橋　で、何なんですかいきなり困るんですけどって喧嘩みたいになって、すったもんだしていたら奥から代表者が出てきて「あの、実はちょっと手一杯でおたくの仕事出来ないです」みたいな。おい、出来ないじゃねぇよお前、と。すでにその時点でもうオープン1か月を切っていましたから。

大谷　そうだよね、俺が振ったのオープン予定の2か月半ぐらい前だもんね。

高橋　この見積もりとか契約とかどうするんですか？って言ったんだけど「とにかくできない」の一点張り。ウァーってなったけど、ここですったもんだしていても埒があかないから、そこからまた業者集めて。日程を話したらみんなに出来るわけないって言われたんですけど貸しのある業者がいたから、そこに頼み込んでまず解体ですよ。それがオープンの3、4週間前。

大谷　そうだよね、だって3週間でやったんだもんね？実際の工事自体は、よくやったよね。

高橋　もうね、脅迫ですよ。全貌を伝えずに、とりあえず何々をいつまでにやってくれと。そんなの無理です、って言われても、じゃあもう来年仕事やんないよって。こっちもとにかく必死だから。

大谷　それにしたって酷いよね（笑）…いいのかなぁ、こんな話本に載せちゃって。しょっぱくない？

高橋　そのへんは切っていただいて（笑）。で、まぁなんとかなりそうだってところまでたどり着き。

大谷　まぁ何とかなんないとね、君が恫喝するし（笑）。

高橋　恫喝（笑）。いやいや俺はね、実はとってもこう…大谷さんって人情派というか。そういう部分があるからこそ、そこに甘えちゃいけない。これはオープン日を1日でも遅らせるわけにはいかない！ってとにかく思ったんですよ。でもやっぱり一筋縄では行かなかったですね。一番やばかったのが入り口のファサード。

大谷　そうそう、床下を開けてみたら全然ダメだったんだよね。

高橋　そう！グズグズで。下に何も貼ってなくて土が出てきちゃったの。これ水が入っちゃうよ！みたいな。なんだこりゃ、基礎からやらないとダメだから1か月はかかるよって言われたけど、特殊な工法でとにかくやらせて。でも、今だから言いますけど、実は入り口のドアとかガラスが間に合わないかもって話があったんですよ。その時は俺、色々対策を考えて、ブルーの緞帳みたいなのを吊ってステージみたいにしてオープニングレセプションやってもらおうか、とか。

大谷　外からフルオープンだ（笑）。

高橋　そう（笑）！　それを大谷さんにプレゼンする資料まで作ってたんですよ。壁が出来ない。ドアがない。ガラスが入らない。じゃあ代わりにブルーの緞帳張っておしゃれにライトアップしてやったら無くはないかなって（笑）。

大谷　無くはないじゃないよ！無いよ（笑）！

高橋　まぁ、そういうプランも考えつつ、勿論間に合わせる方法も考えていましたけどね。結局なんとか間に合ったんで良かったですけど。あと覚えているのは…工事期間中にＧＷ

があったじゃないですか。で、サッシを作る工事がGW休むって言うんですよ。おい、待てと。間に合わないから休むなって言ったんだけど、そんなこと言っても休むよって。

大谷　まぁそうだよね、普通。

高橋　で、何したと思います?…今だから言いますけど、俺、埼玉にあるその会社まで行って、車をゲートの横につけて通せんぼしたんです。おたくがやるってこの書類にハンコ押さない限り、俺はどかないよ、と。夜の7時に行って、11時くらいまですったもんだですよ。

大谷　それ、すごいね。いいねぇ(笑)。

高橋　だって、やれば出来るんですよ。2日か3日あったら出来る。相手も車で通せんぼするようなキ○ガイ相手に、やり合いたくないって思うだろうって目論見もあったし。もうあっちの担当者は半ベソですよね。通れないから帰れないし。で、もう「わかりました、ハイハイハイハイ!」ってなって、間に合ったんです。

大谷　おぉ~仕事できるじゃん!

高橋　いや、だって大谷さんだからね。他の人だったら、すみませんオープン延びますからって言いますけど。ホント伝説ですよ、自分の中でも。

大谷　まぁでもそういうのがあるとさ、段々平気になってくるでしょ?キャパ広がってくでしょ?

高橋　うっそ(笑)…でもそれ、いろんな人に言われる。「高橋くん、アクロバティックになってきたねぇ」とか。

大谷　でも、あの時はホントにみんなで心配していたんだよ。俺は別に出来ると思っているからいいんだけど（笑）。でも周りのスタッフとかはさ「あのぅ、全然工事進んでないですけど大丈夫ですか」とか言うわけ。オペレーションも出来ないし。まぁ、とは言っても一応移転だし。どっちみち開けてみないと、どのぐらいの人がどういう感じで来るとかは、やっぱ分かんないわけよ。結局どんなに練習していてもそれ通りにはいかないからね、店って。

高橋　いや、でもなかなかそういう考えには至らないと思いますよ。オペレーションが出来ないって異常だし。だって厨房も料理作らなきゃいけないのにビニール貼ってあって普通そんなの出来ねぇよってなるじゃないですか。

大谷　最初のオープンじゃなかったから良かったよね、移転だったからね。ま、でも基本的に俺は間に合わなくてもとりあえずオープンはするじゃん？

高橋　…そうなんですか（笑）？

大谷　いつも言ってるじゃん。間に合わなくたって、屋台だって営業出来るんだからいいんじゃん、できるんじゃん。水道と電気さえ来ていればばってさ。屋根があれば出来るって話。

高橋　普通はそういう考えはないっすよね。

大谷　まあね、でも開けなくちゃならないからさ。

高橋　だけど一回、ある時大谷さんが工事中に来て、普通に考えたら全然出来上がってなくて絶対に間に合わないじゃんって怒りだすところを「おっ、結構できてきたんじゃない」って言ったんですよね（笑）。

大谷　だって一生懸命やってる最中にそこで怒ってもしょうがないじゃん。

高橋　でも、本当は怒鳴り散らされるハズなのに、大谷さんにそう言われた時点でもう覚悟が出来たというか。俺絶対にやらなきゃ、と。その日、大谷さんがオープン予告の書かれた紙を持ってきたんですけど、よく見るとそこに日にちは無くて、中旬って書いてあったんですよ。もう、プレッシャー与えないつもりなのか何なのか。

大谷　その、オープンって紙は張るけど日付を書かないってとこが俺の甘さだよね。

高橋　あれ甘さっすかね？俺、逆にプレッシャーかかったんですけど。そこであれを張られたら絶対意地でも間に合わそうってなるじゃないですか。でも結局3週間で「宇田川カフェ」を作ったけど、それでも妥協しないで最初に大谷さんにこんな感じでやりますって言った通りにできて本当に良かったですよ。

会社の話

大谷　そうそう、クローカの話とかした方がいいんじゃないの？人が増えた話とかさぁ。

高橋　充分ですよ（笑）、いやいや。

大谷　ほら自分の会社、人増えたじゃん、池田ちゃんとかさ。そういえば前に、会社はバランスを崩してなんぼって話したよね？

高橋　オレは人を使うのはずっと無理だな、一人で全部やるほうが気楽でいいなって思ってたんだけど、大谷さんの会社がどんどんデカくなっていって、〝会社って〟みたいな話をした時に大谷さんが、仕事を構成する事項のどっかを出っ張らすと、そこに追い付くようにして、ほかの事項が正多角形になるように広がっていく、みたいね話。

大谷　そうそう、人とお金と仕事とか項目が何個かあって、六角形みたいなね。

高橋　「高橋くんは今平坦なところにいるけど、一個出っ張らしたら他のところもちゃんとバランスとれるように頑張るでしょ」って言われてハッとしたんですよ。あ、オレダメだなと思って。

大谷　バランスを一回崩さないと大きくならないもんね、会社って。だって一人でやってると高橋くんが倒れたらおしまいだし。

高橋　おしまいだし、あと出来ない事が増えてくるんだよね、逆に。

大谷　そうそう。で、これ自分がやんなくていいじゃんっていうことが多いじゃん？意外と。メンテとか。

高橋　それはずっと結構周りから言われることがあったんですよ。「高橋くん、それ自分でやんなくていいんじゃないの？」って。でもピンときてなかったんですよね。そのあたりで事務所も借りて…そう、まず最初に事務所を飛び出させたんですよね。家でやってると多角形が崩れないから。大学の講師の仕事を始めたら、入りたいって言う人が押し掛けてきたりもして、じゃ入れようかってなって…そんなふうにしてやっていったらホントにそこから仕事が更に増えて。これはおもしろいなって思って、じゃあもう一人いれようってなって。まあ大変ですけど、今。でも実際新しいスタッフにやらせてみたら、出来るんですよね、ちゃんと。だからなんか結局…そういうこともご指導いただいてね（笑）。

大谷　いやいや。だってホント無理だなーって思って。忙し過ぎちゃって高橋くんが。ホラ、先生になっちゃったから（笑）。

高橋　LD&Kのお店も「宇田川カフェ」からあっという間に増えていきましたね。桜丘、STAR LOUNGE、Mambo…それでまた事務所が大きくなってね。

大谷　どの店を作ったときも印象深いよね。

高橋　印象深かったことといえば…「o'bo」の看板ですね（笑）。大谷さんが、笑いながらアスファルトの歌舞伎町の路面に叩きつけて踏んづけて引っ張って「こんな感じ？こんな感じ？（楽しそうに）」って（笑）。

大谷　ガリガリガリってね（笑）。だって、なんだこれって思ってさ、何だよ看板ツルツルじゃん！って。

高橋　それめちゃくちゃにしてゲラゲラ笑って、おかしかったですけど、あれにすべてが表れていますよね。

大谷　まぁね。でもまだこういう店やりたいなぁみたいなのは他にもあるけどね。今のところはまだ今の店を直しつつだね。

高橋　そういえば、前に作った店（赤坂AUTHENTICA）ですけど「中のドリンクカウンターのところまで窓と壁を全部取り払え」って言いましたよね。いやオレはね、大谷さんと付き合い長いからわかるんですけど、普通はわからないですよ意味が。何言ってんの？窓と壁がないって？そもそも虫とかどうすんのってなるから。

大谷　いや、だから虫が入って来たら「外ですから」って言えばいいんだよ（笑）。

高橋　ほんとムチャクチャだよなぁ（笑）。

大谷　「ここまで外なのですみません」って言えばいいんじゃないのって（笑）。テラスで飲む人もいるわけなんだからさー、そもそも。

高橋　そうですけど（笑）。そういう方法論ってどこから来ているんですか？　火をつけたらいいんじゃないかとか、外ですからとか。なんなんすか、その発想。

大谷　わかんないんだけど…そもそも普通がわかんないわけ（笑）。普通をなんで踏襲しなきゃいけないのかっていうのがわかんない。

高橋　普通は赤坂っていう立地で、なんとなくお客さんの顔が見えている中であそこの4分の1の角を外にしようって発想がないんですよ。だって寒いとか暑いとか虫がいるとか絶対に文句が出てくるじゃないですか？いるでしょ。やんないですよ！普通は。だから何でやるのかっていうのを聞きたかったんすよ。

大谷　…いいんじゃない？都会だから（笑）。

高橋　ムチャクチャだよーもぉ（笑）。いっつもだいたいそんな感じですよね？いいんじゃない、とか嫌ならいいよ、みたいな。

大谷　でもそれが良いって言ってくれる人たちがいればいいんじゃないかなぁ？「宇田川カフェ」の暗さにしたって、普通のカフェに行く人嫌だもの、本読めないし。

高橋　そうですよ。実際にそういう人はいますよね、暗すぎるよって。

大谷　でも他にいっぱい店はあるんだからさ。だってみんな本が読みたいわけじゃないでしょ？そもそも〝夜カフェ〟だからね、あそこは。そもそもファミレスの煌々とした明かりの中に行くのがもう嫌なわけ。クラブで遊んだ後に眩しいじゃん。

高橋　結局、自分が行きたいかどうか、っていうのがすごい大事なんですよね。

大谷　昔はクラブって良く行っていたんだけどさ、やっぱり辛いじゃん、歳とると。踊っていらんないし、朝。だけども結局、夜型人間っていうのは変わらないから。そうすると行くところ無いでしょ？

クラブのラウンジって今時ないじゃない？ハコとしてダンスフロアはあるかもしれないけど。ラウンジってＶＩＰはあるけど、そこにいてもね。行くっちゃ行くけどテンション的になぁ…みたいな。だから「宇田川カフェ」はちょうどいいんじゃあないかと思って。暗くて居心地いいんだよね。

高橋　そういう感じの店が作りたいから作る、と。なるほどね。

大谷　だってカップルでさ、クラブじゃ疲れちゃうけどなんとなくまったりしたいっていう時もあるじゃん？

高橋　で、あの暗さっていう。だって真っ暗っすよね。

大谷　もっと暗くしてもいいよね？

高橋　オレ、でもそういう話を聞いて最初大谷さん何言っているんだろうと思ったけど「宇田川カフェ」行ってみるとなるほどなと。

大谷　だってセックスでしょー、あんなの。

高橋　（笑）。そうですけどね、そうですよね（笑）。

大谷　だって夜中に外出している人なんておかしいんだからさぁ、そもそもねぇ？

高橋　ねぇこれ、本になるんですよね（笑）？いやまぁ…確かにおかしいっすよね？

大谷　だって外出するっていったらそういうことでしょ。きっとね。だって健全な人だったらうち帰って寝てるよね、多分。うちちゃんと帰ってメシ食って。…え、ダメ？こんなこと書いちゃ（笑）。
高橋　えーと…セックスかぁ！…うーんわかんない（笑）。
大谷　まぁ広い意味でのね。
高橋　広い意味でね。この緊張感とかね。この1時間後どうなっているかわからない、みたいなね。
大谷　そうそう、だから椅子も低くしたいわけよ。だって椅子の座面が高い店見ていると結構ガラガラじゃん、背筋延びちゃうから。
高橋　寝てる姿勢にだんだん近づく、みたいなのがいいんだよね。
大谷　そうそう、最終的に寝ちゃいたいわけ、カップルで（笑）。
高橋　そうですよね。シャキッとしているところから寝るまでのディスタンスは長いからね。
大谷　だってオレ「宇田川カフェ別館」とか絨毯バーにしちゃいたいんだもん。全部マットにしたいの。
高橋　オレだから大谷さんが椅子低くとかセックスとか言うから「宇田川カフェ"suite"」の中二階のロフトをああいう感じにしたんですよ。
大谷　そうそうそう、それは当たってる。
高橋　だってあそこはエロいっすよね。
大谷　エロい。本当にしちゃうよね、ここだと（笑）。
高橋　（笑）。えーと…本に使えるかな、この話。
大谷　いや、それはさすがにマズいけどね。本当にしちゃあね（笑）。でもその寸止め感がいいんじゃない？　モゾモゾ感っていうか。ハハハ（笑）。

高橋　…これ、どういう本になるんすかね（笑）？

大谷　フフフ。ねぇ（笑）？

仕事は無いのではなく創れ

インディーズブーム到来――

対談でお店の話に突然飛んでしまったが、こんなメンバーのいる「yes,mama ok?」を最初の所属アーティストとして迎え、レコードレーベル LD&K Records は始まった。

インタビュー文中にもあるが、LD&Kが株式会社として設立して事務所を借りられるようになってからも、所属バンドのレコーディング代が払えないことに気付いてバイトをしたことがある。

計算をしたら、翌月末の支払いにお金が足りないことが発覚して、歌舞伎町にあるしゃぶしゃぶの店「にいむら」に朝までバイトに行っていた。

他のスタッフにばれないようにしれっと夜10時から朝まで働いた。

本当は一か月もバイトをすれば済んだのだが、すぐに辞めるのがバイト先に悪くて半年間働いた。当時は全く自社の社員には気付かれなかった。

そのしゃぶしゃぶ店で働いていたバイリンガルの上智大学の女子学生がいたので会社にスカウトした。ちょうど卒業だというので弊社に就職してもらった。

今考えたら、バイトの同僚が社長をやっているような、底なしに不安定な訳のわからない会社によく入ってくれたと思う。高学歴でバイリンガルで頭が良いのに。男女の関係ももちろんなかった。

「いとちゃん」といって、もちろん凄く仕事ができた。

とにかくこのあたりから店を出す2001年まで、**A&Rディレクターとして、とにかく**

沢山のレコーディングをした。

毎月およそ3枚程のアルバムをレコーディングしてはリリースした。ほぼ毎日3か所のスタジオを同時掛け持ちしてのレコーディングやＭＶの撮影で海外にも沢山行った。

インディーズアーティスト特有の、海外でもリリースしたいという、わがままな要望を叶えるためにバイリンガルのいとちゃんとアメリカ西海岸をぐるっとまわったことがある。

この時にアメリカのレコードプレス会社と繋がって国内でアナログプレスを請け負う仕事を始めた。

少しして「BEAT CRUSADERS」の日高くんがＬＤ＆Ｋの社員になるのだが、彼も英語ができることもあり、アナログプレスを請け負う担当になってもらった。

奇しくも日本のレコード会社がアナログを完全に廃止した時代であり、例えば「電気グルーヴ」の「Ａ」というアルバムなどはソニーでは作れないということで、弊社でプレスを請け負っていた。

そうこうしているうちに世の中はインディーズレコードレーベルのブームみたいなことになっていった。何をリリースしてもある程度の枚数が売れた。

そして私はとにかくモテた。まあモテていたのは生まれて物心ついてからずっとだったから全く違和感がなかったのだが。さらにモテた。笑。

例えば、よくある写真週刊誌で取り上げられる「失踪したグラビアアイドル」みたいなのはだいたい私のところに来ていた。ああいう子たちはグラビアなんかやりたくない。ホントはアーティストっぽいことがしたいなんて思っているからなのか。なんか知らんけどプライベートではそういうことが多かった。

ある一人は大手事務所に所属していたのに仕事をバックレて怖くなって焦ったのか、グアムだかサイパンに飛んだ。まだ18歳かそこらである。ビザが切れるのを免れるために現地人と結婚した。そしてほとぼりが冷めたころに日本に帰ってくる。

「また日本の芸能界で復帰したい。」などと言ってくる。

結婚した相手は現地で強盗などの犯罪を起こして長期間刑務所に入っているハズだからバレない。とか言うのである。すごいよな。

元の赤坂の事務所に謝りに行かせてタレントとして復活するけど、2年飛んでいてもまだ20歳。平気な顔でアイドルやり直したりしているのを傍らで見て、女子の逞しさを知りましたね。

あまりにインディーズが流行ったので前出のNEW WORLDに当時いた後藤博史くんやHIP LANDの田島さん、ビクターのスピードスターの高垣さんなどからも、私にインディーズレーベルのやり方を教えてくれと相談がきた。その都度丁寧に教えてあげた。

それもありスピードスターミュージック所属の「THE BACK HORN」や「GIRAFFE」などのデビュー当初のCDはLD&K流通で発売されている。

とにかく、音楽レーベルと同時に音楽プロダクションとなったLD&Kは、当初発掘するバンドやアーティストのほとんどをメジャーデビューさせていった。「yes,mama ok?」

「YOKO」に始まり、「else」「Roboshop Mania」「Cymbals」「flexlife」「つじあやの」「ガガガSP」「GOLBETTY」「knotlamp」など、毎年のようにメジャーにアーティストを送り出していた。目利きはあった。

最初の頃のLD&Kインディーズアーティストの仕事はほとんど私がやった。発掘からA&Rもマネージャー業務も地方キャンペーンの車の運転なども。地方のバンドが東京に来た時には私の家に泊まった。

地方のアーティストだった「ガガガSP」も「KING BROTHERS」「チェルシィ」も「RAYMONDS」も、私が34歳で結婚する2001年まで、代々木の一人暮らしのマンションに泊まっていった。みんな若かった。当時20歳そこそこ。女性のアーティストはさすがに泊まらせなかった。

私が結婚して、妻が私の仕事が終わるのが遅いことを嫌がったので、私はレコーディングなどの帰りが遅くなる現場作業から遠ざかった。物凄く仕事をしていたので身代わりに3人ほどスタッフを余計に雇わなければならなくなった。

それをきっかけにLD&Kが大きくなっていった。私は会社が大きくなると発生するいわゆる管理業務、社長業をしなければならなくなるのが嫌だった。本当はレコーディングなどクリエイティブな現場にいて若者の創作に付き合っていたかったが、仕方なくプロデューサーという立場になり、それによって会社が結果的に大きくなっていった。妻は結果的にアゲまんだったということになる。

しかしながら、これは後にわかるのだが、メジャーデビューされたらされるほど会社の台所事情は悪化していくのであった。その頃の屋台骨を支えていたのは「アメリカ☆ヤング」や「チェルシィ」「KING BROTHERS」などのインディーズに居続けるアーティスト達やコンピレーションCDであった。また、「STRAIGHTENER」や「04 Limited Sazabys」「Awitch」なども発掘していった。

そういえば前出の失踪アイドルではないけれど、弊社の「カルカヤマコト」や「Awitch」も高校を卒業してすぐに海外に行った女子だった。全員に共通することは現地でギャングと結婚することで、「カルカヤマコト」と「Awitch」に関してはすぐに現地で子供も作っている。

「カルカヤマコト」はジャマイカのキングストンで、最初の夫が銀行強盗で捕まった。ジャマイカにいる時に弊社が現地でデビューさせてキングストンのフェスにも出させた。2人目の夫の時にカルカヤは帰国もしているのだが、夫のビザ取得に苦労した。旦那は字が書けなかった。いわゆる文盲である。字が書けないので婚姻届けが出せないとのことだった。凄いよな。

「カルカヤマコト」の仕事は当時テレビ朝日ミュージックと組んでいた。

カルカヤはテレビ朝日ミュージックの吉田社長を大阪駅まで呼び出して待たせておいて子供連れで一時間遅れて登場した挙句、開口一番

「なんや金でもくれるんかい、おっさん」と言い放った。

その他諸々あって、ジャマイカでMVの撮影をすると言ってキングストンに戻ってもらった。

私はカルカヤ家族が往路の空港を飛び立った瞬間に帰りのチケットのキャンセルを担当に指示した。まさに島流しにしたのである。結局彼女は一人目の夫との子を含め10年で7人出産した。ラスタは宗教上避妊しないのだ。数年前にスタジオで旦那がコンドーム持っていたのがバレて大喧嘩していたのが面白かった。

ちなみに「Awitch」の夫は現地で殺されている。日本の女子すげえ。

経営的に安定させる目的もあり「ガガガSP」が売れている頃に「宇田川カフェ」を始めた。バンドのマネジメントは不安定な仕事だ。解散や休止などが予期せず訪れる。とにかく事務所として、バンドやアーティスト達を安定して活動させるために必死でいろいろなことを考えた。

「かりゆし58」が落ち着いてきた頃には、「Cool Covers」というレゲエカバーや「Couleur Cafe」というボサノバカバーなどのカフェ向けのコンピレーションアルバムを売りまくって会社を大きく安定させることに成功した。

洋楽のコンピレーションCDを作るために香港に会社を作った。LD&K Trading Limitedという名前の会社。コーズウェイベイに事務所を置いた。山崎というスタッフに単身赴任してもらった。香港を拠点にブラジルやジャマイカ、NYやロンドンのプロダクションと提携をして、アジア全域でライセンスする楽曲を書き下ろしで発注した。それを輸入盤として日本に輸入した。やはり本場物は早くて上手い。

フィリピンにも行った。山崎が洋楽マッシュアップの企画CDを作りたいというのだ。もちろんヒット曲のオリジナルの原盤など使用できない。

私が遊びに行くショーパブにはそっくりさんがいるので歌ってもらえと指示した。フィリピンには観光客向けのそっくりさんのショーをやる店が多く、クオリティも高いのですぐに声は集まった。レディー・ガガやマドンナなど声のそっくりさんはいくらでもいた。

フィリピンは英語圏なので本当にそっくりなのと、戦後の昔から音楽業界では「困ったらPバン呼べ」というほどフィリピンの音楽家は重宝するものである。「Pバン」というのは「フィリピンバンド」のことである。

しかしフィリピンのバックトラックはさすがにダサいのでマニラで録った声をロンドンに送ってラップ部分やトラックを作ってもらった。オリジナルの別バージョンがあるかのようなマッシュアップのCDを作った。

このように不可能を可能にするために超えなければならないハードルは超えていく。それが仕事だ。

そして当時、ヴィレッジヴァンガードでCDを売ることは音楽業界的にはまだタブーだったが、そこを切り開いた。弊社などのインディーズレーベルが新しくマーケットをこじ開けてきたという自負もある。

コンピレーションの東京での仕事はLD&K洋楽部を作って谷口にやってもらった。ブラジルやジャマイカなど世界に交渉に行ってもらったりもした。

洋楽コンピレーション用の「Living Records Tokyo」というレーベルを作った。ボサノバのカフェ向きのコンピレーションは売れまくり、TSUTAYA 六本木などで年間売上ＣＤの１位になった。日本全国のカフェや美容院で聞くようになった。最初は有名美容院に配布もした。アジア全域のライセンスなので、社員旅行先のイスタンブールやバリ島などでもかかっていたのを実際に耳にした。香港の夜市場でカラーコピージャケットの偽物ＣＤが売られていてびっくりした。

また「羊毛とおはな」という２人組のアーティストも谷口に担当してもらった。「羊毛とおはな」はアーティストとしては確固たる地位を築いていた。

東日本大震災の時、台湾から日本へ多大な援助をしてもらった。そのお礼として、日本政府が台湾国内でかなりの数のＴＶスポットＣＭを打った。その時のＣＭソングに「羊毛とおはな」が起用された。それもあって台湾での人気はかなりなものになった。日本でやる時よりも大きなホールでコンサートもやった。

担当が洋楽担当の谷口だったこともあり、やはりヴィレッジヴァンガードで沢山売れた。その後、残念ながらボーカルの「千葉はな」が癌でなくなってしまってからも、台湾には「羊毛とおはなカフェ」という店が３軒あり、現在も営業している。

本当にアーティストというのは素晴らしい商売だと思う。当人がいなくなってからも作品が世に残るのだ。声が聴ける。ＭＶも観られる。人に感動を与えられたり、いつだってそこにいる。

私は、そんな仕事に携わっていることで常に幸せを感じている。つくづく素晴らしい事だと身をもって実感している。

アーティストはとにかく人に影響を与える仕事。琴線に触れられる稀な仕事だ。恥ずかしい話だが、この仕事をしていて本当に良かったと現場で涙を流すことも多い。私に関わってくれたアーティストには常に感謝している。それぞれのトピックスを載せていたらキリがないのでこのあたりにしておく。

そんな感じで、会社は徐々に大きくならざるを得ない形で大きくなっていった。

主なリリースを年表にまとめよう。

音楽事業部

1995

Baby Allstars（クリスタル・ケイ含む） リリース
yes, mama ok? デビュー／リリース
ユリゲラー 再発リリース

1996

ジャックス／早川義夫 再発リリース
'else デビュー／リリース

ユリゲラー
「ユリゲラー」
5-LDKCD
再発：LDCD-50014

1997

Roboshop Mania デビュー／リリース
Cave Gaze Wagon リリース
Mint After Dinner リリース
Our Hour リリース
アメリカ☆ヤング リリース
flexlife デビュー／リリース
Biscuit Fan リリース

1998

RAYMONDS リリース
牧伸二ベスト リリース
フカミドリ リリース
つじあやの デビュー／リリース
Cymbals デビュー／リリース

牧伸二
「ウクレレ人生」
10-LDKCD
再発：LDCD-50015

店舗事業部

CITROBAL　リリース
チェルシィ　リリース
KING BROTHERS　デビュー／リリース
GIANT CHOP　リリース
THE BACK HORN　デビュー／リリース
みうらじゅん　ベスト盤　リリース
THE MAJESTIC FOUR　リリース

つじあやの
「うららか」
54-LDKCD

Carnation　リリース
Bobby 's rock' n Chair　リリース
STRAIGHTENER　デビュー／リリース
坂下千里子　リリース
Sylvia 55　リリース
REEFER　リリース
メガロマニアックス　リリース
Runt Star　リリース
SKAD MISSILE　リリース
ガガガSP　デビュー／リリース
Sonic Coaster Pop　リリース

Cymbals
「NEAT, OR CYMBAL!」
57-LDKCD

THE JETZEJOHNSON　リリース
NASH　リリース
NINA ROCKS（内田仁菜）　リリース
esrevnoc　リリース
チコチェアー　リリース
SUNNY SIDE SUPER STAR　リリース

ガガガSP
「ガガガSP登場」
R3RCD-009

1999　2000　2001

宇田川カフェ（カフェ）
※138ページへ

宇田川カフェ

音楽事業部

2001

THE COLLECTORS　リリース
ユーカリ SoundTrack　リリース

2002

百怪ノ行列　リリース
LOOSELY　デビュー／リリース
青春ミッドナイトランナーズ　リリース
セックスマシーン　リリース
Apila　リリース
Ricarope　リリース
逆 EDGE　リリース
CooDoo's　リリース

セックスマシーン
「いい人どまり」
R3RCD-019

2003

マニ☆ラバ　リリース
T.T.F.L　リリース
闇アガリ　リリース
ENBULL　リリース
TAKA　リリース
メガマサヒデ　リリース
チャッカマンズ　リリース
ハイエナジー　リリース
大賀勇気　リリース
勝手に観光協会　リリース
ブロンソンズ　リリース
Quinka,with a Yawn　リリース

勝手に観光協会
「勝手に観光協会」
LDCD-50010

2003　2002　2001

店舗事業部

宇田川ラヴァーズロック（カフェ＆バー）
※146ページへ

宇田川カフェ "suite"（カフェ）
※154ページへ

CHELSEA HOTEL（ライブハウス）
※148ページへ

みちしたの音楽　リリース

カルカヤマコト　リリース
土岐麻子　ソロデビュー／リリース
Sugar Mama　リリース
NORTHERN BRIGHT　リリース
SAL the soul　リリース

ミラクルオブライフ　リリース
ARGYLE　リリース
行方知れず　リリース
向風　デビュー／リリース
夏待ちレスター　リリース
hot hip trampoline school　リリース
ビンジョウバカネ　リリース
TRIBECKER　リリース
UMU　リリース
GOLLBETTY　デビュー／リリース
新井仁　ソロリリース
空無茶　リリース
宇田川カフェコンピ　リリース

かりゆし58　デビュー／リリース
テリー＆フランシスコ　デビュー／リリース
FREAKYFROG　リリース
Vice Versa　リリース
POWWOW　リリース
Fee　リリース

カルカヤマコト
「カルカヤマコト」
110-LDKCD

土岐麻子
「STANDARDS」
LRT-002

かりゆし58
「恋人よ」
R3RCD-050

2004　2005　2006

梅田 Shangri-La（ライブハウス）
※156ページへ

Mambo Cafe（カフェ＆バー）
※162ページへ

音楽事業部

2006

デグルチーニ　リリース
レゲエカバーコンピ Cool Covers　リリース

レゲエカバーコンピ Cool Covers
「Cool Covers Vol.1」
LRTCD-088

2007

バーボンズ　リリース
極東ラヴァーズオーケストラ　リリース
Ailie　リリース
サンダーバーム　リリース
羊毛とおはな　デビュー／リリース
ジャッカル SUS4　リリース
Seewees　リリース
Daffy Strike　リリース
スカポンタス　リリース
Knotlamp　デビュー／リリース
ルースフォンチ　リリース
Awitch　デビュー／リリース
ガガガDX　リリース

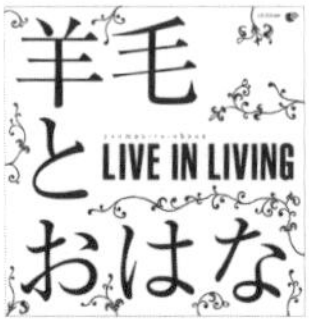

羊毛とおはな
「LIVE IN LIVING」
LTCD-19

Awitch
「Asian Wish CHild」
193-LDKCD

2008

MINOR SCHOOL　リリース
LUCY IN THE SKY　リリース
KENSHU　リリース
→SCHOOL←　リリース
MY SUMMER PLAN　リリース
AIRPORT　リリース
S-KLAPP　リリース
南波志帆　デビュー／リリース

店舗事業部

桜坂セントラル（ライブハウス）※164ページへ

琉球ラヴァーズロック（バー）※168ページへ

赤坂 AUTHENTICA（レストラン）※170ページへ

六畳人間 リリース
青春シャンプー（ニーコ） リリース
Camvas リリース
The Descriptions リリース
ジェイムス リリース
DATSUN320 リリース
アオキマミ リリース
RONDONRATS リリース

COUNTER RESET リリース
口笛太郎 Duo リリース
Black Dahlia リリース
サンダーバーム リリース
04 Limited Sazabys デビュー／リリース
DRINKPED リリース
打首獄門同好会 リリース
TENSI LOVE リリース
Twinklestars リリース
The Moleskins リリース

Hystoic Vein リリース
パク・ヘジン リリース
JAWEYE リリース
G-YUN リリース
五月女五月 リリース

04 Limited Sazabys
「Marking all!!!」
R3RCD-094

打首獄門同好会
「打首獄門同好会さんが猛烈に自己アピール中です。」
223-LDKCD

2009 2010 2011

桜丘カフェ（カフェ）
※172ページへ

鬼味噌田嶋屋（ダーツ居酒屋）
※174ページへ

o'bo（バー）
※176ページへ

STAR LOUNGE（ライブハウス）
※178ページへ

金龍
※180ページへ

bar Segredo（シガーバー）
※182ページへ

音楽事業部

日食なつこ　リリース

SCOTT GOES FOR　リリース
中ノ森文子　リリース
GHOST COMPANY　リリース

BAND俺屋　リリース
ドラマチックアラスカ　リリース

AIMEE　リリース

日食なつこ
「FESTOON」
TSFC00030

中ノ森文子
「Follow me!!」
231-LDKCD

2011　2012　2013　2014

店舗事業部

からあげひとつ屋
※180ページへ

上海ROSE（カフェ・レストラン）
※184ページへ

K-POP DANCE STUDIO（ダンススタジオ）

東京354CLUB（ナイトクラブ・ライブハウス）
※206ページへ

Royal Family（ナイトクラブ）
※208ページへ

FLAMINGO（カフェ）
※210ページへ

Café BOHEMIA（カフェ・レストラン）
※212ページへ

ジュノラマ王国　リリース
感覚ピエロ　デビュー／リリース
ココロオークション　リリース
OH!!マイキーズ　リリース
ミケトロイズ　リリース
グミ　リリース
バズマザーズ　リリース
四星球　リリース

ユナイテッドモンモンサン　リリース
密会と耳鳴り　リリース
EVERLONG　リリース
バックドロップシンデレラ　リリース

ドラマチックアラスカ
「ドラマチックアラスカ」
242-LDKCD

2015

Propaganda（カフェ）※214ページへ

The Closet（スナック）※216ページへ

KARIYUSHI COFFEE & BEER STAND（カフェ・バー）※218ページへ

むじなや（むじなすき焼き）※220ページへ

2016

炭火焼ジビエ焼山　中目黒（ジビエ）※222ページへ

炭火焼ジビエ焼山　本店（ジビエ）※224ページへ

GOURMAND GRILL&CAFÉ（レストラン）※226ページへ

宇田川カフェスペイン坂（カフェ）※228ページへ

ホルモン鍋山（鍋料理）※230ページへ

MAMBO Inn（宿泊施設）※162ページへ

音楽事業部

2017

湯木慧　デビュー／リリース
宇田川別館バンド　リリース
POT　リリース
ENTH　リリース
アイビーカラー　リリース
キイチビール＆ザ・ホーリーティッツ　リリース
SUNNY CAR WASH　リリース
ReVision of Sence　リリース
ビレッジマンズストア　リリース

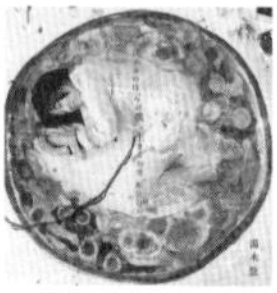

湯木慧
「決めるのは"今の僕"、生きるのは"明後日の僕ら"」
R3RCD-019

2018

オメでたい頭でなにより　リリース
THE BOYS&GIRLS　リリース
THE ラブ人間　リリース
ライブキッズあるある中の人　リリース
アシュラシンドローム　リリース
ヤングオオハラ　リリース
坂口喜咲　リリース
FINLANDS　リリース
Chelovek.　リリース
FILTER　リリース

オメでたい頭でなにより
「SHOW-GUTS」
OMECD-1

店舗事業部

六本木カフェ（カフェ）※232ページへ↩
Bangkok Night（渋谷）（タイ料理専門店）※228ページへ↩
カフェ アンバー（カフェ）※242ページへ↩
Free Maison（ナイトクラブ）※208ページへ↩
Pasta Fresca（レストラン）※234ページへ↩
Café BOHEMIA 心斎橋（カフェ・レストラン）※236ページへ↩
蕎麦処グレゴリー（創作蕎麦）※238ページへ↩
Club Malcolm（ライブハウス）※240ページへ↩
チャンプルー荘（ゲストハウス）※206ページへ↩

2019

トライシグナル　リリース
カルナロッタ　リリース
マイアミパーティ　リリース
SNARE COVER　リリース
SideChest　リリース
3markets[ ]リリース

FINLANDS
「BI」
FU-17

Bangkok Night 六本木（タイ料理専門店）※232ページへ
Jazz Bar 琥珀（ジャズバー）※242ページへ
Pasta Mercato（レストラン）※226ページへ

2020

NYAI　リリース
Atomic Skipper　リリース
メメタァ　リリース
DOBERMAN　リリース
曽我部瑚夏　リリース
錯乱前戦　リリース
古墳シスターズ　リリース
ステレオガール　リリース
add　リリース
インナージャーニー　リリース
WALTZMORE　リリース

NYAI
「Head of triangle」
NYAI-007

薬膳酒家　火鍋鍋山（薬膳火鍋）※230ページへ
1000CLUB（ライブハウス）※244ページへ
Bangkok Night 銀座（タイ料理専門店）※226ページへ
天国と秘密（カフェ＆バー・ライブハウス）※246ページへ
下北沢 Shangri-La（ライブハウス）※248ページへ

音楽事業部

ぎがもえか　リリース
AFTER SQUALL　リリース
プッシュプルポット　リリース
bokula.　リリース
みなみ　リリース
アメノイロ。　リリース
湧　リリース
Brute Rocks　リリース
ハチマライザー　リリース

2021

店舗事業部

道玄坂カフェ（カフェ）※250ページへ↩
TH-R HALL（ライブハウス）※252ページへ↩

To be continued...

常識を疑え――

リリースは沢山した。「LD&K Records」という名義じゃない別名レーベルもたくさん作っているのでLDK○○という品番だけでは数えられない。avex流通のものは「Pacific Records」、洋楽コンピは「Living Records Tokyo」、パンクの「RUN RUN RUN Records」というのもあったし、そんな風に沢山のレーベルが弊社には存在した。

またレコード会社として流通を受けているものも多い。リスト中にもあるがホリプロの案件や名古屋のRAD CREATIONのTRUST RECORDS、池袋ADMのアーティストのもの、四星球のofficeみっちゃん、大阪の民やんのCLOUD ROVERや下北沢近松のTHE BONSAI RECORDSなど提携の枚挙にいとまがない。ソニーのジロッケンのものも弊社が受けている。

また逆に音楽プロダクションとして、うちのレーベルからメジャーに行ったアーティストのマネジメント業務も行った。

しかしながらこの時、メジャーレコード会社にアーティストを送り込むほど採算が合わないということが密かに露呈していく。

「yes,mama ok?」「YOKO」を日本コロムビアで、「else」をテイチクで、「Roboshop Mania」をトイズファクトリーで、「Cymbals」「つじあやの」をビクターで、「flex life」をZetimaに立て続けに送り込んだあたりから、さすがにメジャーレコード会社との契約に疑問を持ち始めてきていた。

レコード会社と事務所とアーティストとの契約は基本的に3者契約となり、アーティスト印税1~2%、事務所印税1%とかが基本である。

この数字でやれる訳がない。マネージャーの経費は事務所側の持ち出しである。なおかつレコード会社の持ってきた地方のプロモーションなどに付き合わなければならないため相当な枚数売れなければ、どう考えても赤字になる。

当然アーティストはこれでは食えないのでメーカーから育成金というアーティストへの育成金が支払われるが、それも生活できるレベルの額ではない。

メジャーアーティストや事務所は最低限の月給と数%の歩合で下請けの仕事をしているのとなんら変わらないのである。

LD&Kという会社もメジャーアーティストが増えるほど赤字が増えるということが起こった。

ちなみにレコーディング費用を持つと原盤の権利があり印税は12%~17%といったことになる。

もろもろ控除もあり3000円のアルバム1万枚売れると330万円程度の原盤印税。半々で持つことが多かったので160万円程度。前出した事務所印税に関しては1万枚あたり30万円ほど、アーティスト印税も同じくその程度の額である。これでは10万枚くらいは売れなければ成立しない。

アルバムなんて年に1枚もリリースしないんだからこれでマネージャーなんて雇えるわ

けがないのだ。

それでも当時はメジャーアーティストが増えてLD&Kは儲かっていると各所で誤解された。

「つじあやの」のマネジメントをやってもらっていた京都メトロの作田くんともそれで揉めた。そのせいもあり「つじあやの」は弊社をはなれてビクター内の「スピードスターミュージック」に移籍した。

当時つじあやのが一緒に連れて出て行ったマネージャーの女の子を、移籍先でクビにしたら焼肉をおごってもらうという約束は果たされていない。

奇しくも「スピードスターミュージック」というビクター子会社の音楽事務所は私がインディーズのやり方を教えたところだ。「つじあやの」のマネジメントは弊社ではスタジオジブリの「猫の恩返し」の主題歌をやるところまで面倒を見た。当時、弊社にも既に力はあった。

最近の「湯木慧」でも同じような轍を踏んでいる。

なんとなくメジャーが良いというのは全くの間違いで、とはいえ決してメジャーが悪いのではなく、誰と仕事をするかが大事なのである。しかし大きな会社というのは担当が変わってしまったりすることが多々ある。メーカーなので当然だが契約期間中の売り上げさえ良ければ良いのである。結局責任の所在がうやむやになってしまうことが多い。仕事に対する責任の範疇が違い過ぎる。

メーカーと違って所属事務所というのは、所属するアーティストの人生まで考えて面倒を見なければならない。事務所というのは責任の所在がうやむやになること自体があり得ないことなのだから。

今後、大手レコード会社が様々な整合性が取れなくなっていくことは、今後の時代が証明してくれることでしょう。各メジャーレコード会社も総合エンターテインメント企業になるべく画策しているようですが、なかなか体質的に難しいとは思われます。エリートが多過ぎるのです。

既にレコード会社のコンテンツの売り上げよりも、ライブ活動などの経済活動の方が圧倒的に市場規模的に上回ってきてしまっている。音楽活動を取り巻く環境は急速に変化してしまったのです。

私的にこの変化は全然急速ではなく、「日本のレコード会社はしぶといなあ」と10年以上前から思っていることです。最初から新しい音楽業界の形態を創ろうと画策している。


そもそもレコード会社はCDなどの「音源コンテンツを製造して販売するメーカー」としてのみ存在しています。レコード会社自体はアーティストの録音権しか持っていません。なおかつ最近では売れているアーティストはレコード会社に配信の権利すら渡さない時代になってきています。配信なんかアーティスト側で出来ます。

ライブ制作やグッズなど諸々の音楽コンテンツ以外の活動は事務所がやります。原盤権も事務所がお金払って所有しているなら、そもそもレコーディングすら事務所仕切りです。もはやレコード会社が出来ることがあまりないのです。

レコード会社は音楽コンテンツを売ることだけが目的となるので、アーティストに対する仕事内容に矛盾が生じるのです。その点、事務所はアーティストの創作生活のすべてを考えて仕事をします。そういうことです。

私はメジャーレコード会社に行ってもアーティスト自身も含め条件が良くないことはもちろん判っていたのですが、いかんせんアーティストがメジャーに行きたがるのである。それを断ることも出来ないので、いつも、あああという気持ちで送り出したりする。

アーティストもなぜだかメジャーに行ったらお金もらえるとか何かいいことあるのだろうと思っているのだろうか、よく調べもせずに契約してしまうのです。残念ながら。

「ガガガSP」がソニーに行った時の話。全国ツアー中のライブハウスの楽屋、ちょうど「京都メトロ」だった。そこでメンバーにソニーから話が来ていることを伝えた。私は「印税含め条件が今のLD&Kの3分の1になってしまうけどそれでも良いなら契約を進める。」と伝えた。彼らはもうすでに充分売れていた。

ボーカルの前田くんが

「正月に親戚が集まるんです。正月に親戚さえ集まらなければ今のままでいいんですが、電気メーカーのロゴが付いていると親戚が安心するんです。」と言った。それで当時ソニーと契約をした。

「感覚ピエロ」ってバンドにソニーとaxexから話があった時も、メンバーにはうまくやれって言ったんだけどな。結局avexとは続かなかった。

「普通の契約なんて絶対しちゃあだめだぞ。契約書はよく読めよ。うちはいいようにもしないけど、悪いようにもしないからな。」と私は伝えた。専用の子会社を作るという特別な形にしてもらったのだけどavexとはうまくいかなかったみたいだ。結局また弊社でライブやプロモーションなどの面倒を見ている。

どちらにせよ会社とかでなく、誰と組んで仕事をするかということに尽きる。プロダクションやレコード会社にも優秀な人がたくさんいる。しかしなかなか大きいところほど新しい動きに反応できなくなっている。古い慣習や契約が今でも通用すると思っている。または判っているけど動かない。ソニー以外は。

例えば、古いところだと弊社で青森の高校生バンド「マニ☆ラバ」というアーティストを手掛けた時、「青森駅」というシングルCDを弊社のavex流通のレーベル（注：LD&Kには自社流通とavex流通とユニバーサル流通のレーベルが存在する）からリリースしようとしたが、既存の音楽業界では駅のキオスクにCDを置く概念が無いから出来ないといわれた。LD&K自社流通に切り替え、青森駅の東北本線東京行きの5番ホームにあるキオスクに置いてもらったところ、結果その1軒のキオスクで1000枚以上を売り上げて、同日発売の「GLAY」を抜き同県シングルチャート1位になった。やれば出来るのだ。

当時弊社のTSUTAYA六本木店などで年間売り上げ一位を獲得した洋楽ヒットコンピシリーズでもある「Cool Covers」や「Couleur Café」などのヴィレッジヴァンガードへのCD展開も、音楽業界的に既存のCDショップを守らなければならないという理由で当初は

ＣＤを卸してもらえなかった。これは当時ＬＤ＆Ｋがユニバーサル流通に働きかけて無理やりこじ開けた新しい流通形態でもありました。そしてヴィレッジヴァンガードで「カルカヤマコト」や「土岐麻子」「羊毛とおはな」などのアーティストのＣＤを沢山展開してもらって売りまくった。ただしヴィレッジヴァンガードでの売れ枚数はオリコンには反映されなかった。

その時、名古屋のヴィレッジヴァンガードで店員をやっていたのが後にＬＤ＆Ｋに所属する「04 LIMITED SAZABYS」のボーカルＧＥＮだった。彼も参加しているヴィレッジヴァンガード向けの様々な企画モノＣＤも作った。

また、「iTunes」の音楽配信サービスが始まる時も、各メジャーレコード会社はＣＤが売れなくなるのを危惧して、各社 iTunes に楽曲を開放しなかった。ＬＤ＆Ｋだけは iTunes にメーカーで一番最初に楽曲解放をしました。当時「Cymbals」が解散してソロになった「土岐麻子」をそこで売り出したのです。iTunes チャートで土岐麻子の楽曲が半年程上位を独占していたのを覚えています。

さらに「YouTube」もサービス当初はメジャーレコード会社が楽曲使用を制限していたため、各社 YouTube 上で宣伝活動が出来ませんでした。弊社は他のレコード会社が YouTube を活用できないのを逆手にとって、「打首獄門同好会」は YouTube 上で番組を作って売り出しました。これが結果的に当たっているのです。

コロナ禍になってライブ配信も各メジャーレコード会社はうまくやれません。というのも契約上レコード会社の権利は専属録音権だけです。ライブに関しては各所属事務所またはアーティストが主導権を持っているのでうまく進められません。そこでディスクベリーの西さんからＬＩＮＥで「サブスクＬＩＶＥ」をやろうという話が弊社ＬＤ＆Ｋに来ました。大手インディーズレコード会社でアーティストの所属事務所もやっていて、ライブハウスも全国に沢山所有している会社は弊社くらいしかないのです。

クラウドファンディングのプラットフォームの「wefan」というサービスも始めました。もはやメジャーのレコード会社もファイナンスと宣伝機能しかない。宣伝流通は弊社で出来るため、ファイナンスをアーティスト自身が補うことが出来れば、メーカーの制約がなく自由に音楽活動が出来るのです。ＩＴ企業ばかりにこのようなプラットフォームを独占され、音楽事業者内部からこのようなサービスをなかなか行わないので痺れを切らして弊社が立ち上げました。音楽活動やコンテンツのことならオールインワンでサポートが出来るのです。

URL　https://wefan.jp/

そもそも日本を代表するバンドの「HI-STANDARD」や「MONGOL800」はインディーズです。

今となってはヒップホップのアーティストにメジャーレコード会社と契約する人はほとんどいません。

私はレコード会社にいたことがないのに、なぜかレコード会社を始めた人間です。

これでもLD&Kは今まで1000タイトル近くのCDをリリースしてきました。

仕事を進めていくうえで、非常識だとか、異常だとか言われたりしてきましたが、いつも私にはそんな自覚がありませんでした。普通に商売として音楽を選んだのですが、まだまだ音楽業界、特にメジャーレコード会社には古くて不思議な慣習がたくさん残っていると思っています。


これは私がメジャーレコード会社から独立して起業した人だったなら、こうはならなかったでしょう。

ずっと疑問をもって音楽業界と対峙しています。常にアーティストの活動環境をより良くしようと思って精進しています。

その環境整備作りの経過のために今まで所属してくれたアーティストやスタッフに多大な迷惑をかけたことがあるかもしれません。この場を借りてお詫び申し上げます。


「ガガガSP」や「KING BROTHERS」はいわゆる震災っ子だった。あの頃の神戸のバンドは中学の時くらいに震災にあった子らで、人生を精いっぱい生きていた。友達や親族を若いころに失っているため、精いっぱい生きることを自覚している。彼らをデビューさせた時のように、最近の弊社は仙台、岩手あたりの震災っ子のバンドを抱えるようにしている。

不謹慎かもしれないが、震災っ子はやはりエモいのだ。

また、日本最大のサーキットイベント「TOKYO CALLING」の仕切りに代表されるように、全国のフェスや、音楽番組のイベントなどに制作から関与して新人開発をしている。全国のライブハウスを含めて年間1000アーティスト以上のリアルに活動するバンドのデモテープを聞ける状態にあり、常に新人アーティストを選別し発掘している。

弊社は盤石の態勢を築けている。音楽に関する仕事の全ての機能をミニマムに創り上げた。LD&Kの音楽事業部はもう大丈夫だ。移り行く激動の音楽市場の全てに対してアメーバの様に対応できる力と能力をもっているのです。

36/77

無知からくる無謀が人に出来ないことを成し遂げさせる

時には無知からくる無謀が、他人に出来ない事を成し遂げるものです。

少し言い方を変えれば、「既成概念にこだわらず物事を考えられる」ということです。

時代はスピードを上げ、みるもるうちに状況は変化していっています。

以前は通用したセオリーも、徐々に通用しなくなってくるのです。

今までの仕組みを知っている人や、ある程度の過去の成功がある人ほど、変化に対応するのが遅くなったりするのです。

全く新しいやり方をするのは、実は、他業種から新規参入した人であったり、新しく仕事を始めた人だったりします。既成概念に縛られず、本質をとらえ、シンプルにフラットに物事を捉えようと考えるからです。

わたしは音楽業界にいた経験がないので、既存メーカーがなぜ「前例が無いから出来ない」というのかが全く理解できず、それを無謀とも思わなかったので、こういった行動に出たのです。

世の中には、「なぜこうなっているの？　なぜ出来ないの？」ということが意外と多いということを覚えておいてください。

自分らしく生きるために、「カフェ」を始めた。

「宇田川カフェ」開業前夜――

2000年、32歳の年。

ちょっと前に「else」でお世話になったテイチク内のTMCというレーベルの代表だった山中さんに誘われて「EAGER BEAVER」という新しいレコード会社の社外取締役になってくれと言われて在籍したことがある。伊東ちえとか広渡さん木村くんとかがいた。当時光通信を中心としたITバブルが瞬発的に起こっており、その資金で作ったレコード会社だった。

前出のとおり、インディーズレーベルとしては物凄く順調にいっていたけれど、所属事務所としてはなかなか安定しない経営環境の中、少しでも安定するならと思って魔が差した仕事の請け負い方だった。

当時LD&Kは、いわゆるローファイなインディーギターポップから脱却して「チェルシィ」「KING BROTHERS」「ガガガSP」「STRAIGHTENER」「RAYMONDS」などを手掛けていたころだった。現在の音楽事業部長の菅原が入社したのもこの頃だったかな。最初は「Cymbals」を担当してもらった。

私はこの「EAGER BEAVER」という会社から音源制作の請負をしたら安定した仕事になると思っていた。実際に音源の制作を頼まれていた。

そしてLD&Kも精神が不安定なロックバンドの所属が多かったため、**飲食店を作ってアーティストの生活や活動の安定を図ろうとした。**

ロックバンドなんて、リリースも気まぐれだし、病気になったりして活動は休止するし脱退や解散なんていうのはよくあること。そんなロックバンドを当てにして会社組織作って担当A&Rやマネージャーを固定給で雇って、なんなら終身雇用だからね。事務所も維持しなきゃならないし。

しかも弊社はインディーズといいながら事務所に所属するアーティストには最低保証プラス歩合の給料も支払っている。

今でもアーティストに直接言うことだが、

「ロックバンドなんか当てにしてスタッフ雇って給料払って会社なんかできるかよ。」ってね。笑。

とにかく環境を安定させなければという事を考えていた。また、収支に関してはアーティストが開示を求めてきたら全て開示している。事務所は何も悪いことをしている訳じゃないのだから。

これは「yes,mama ok?」をやっている時に金剛地くんから文句を言われたことがあり、当時頭にきて地方キャンペーン先から本社に連絡してFAXで領収書一枚まで全て開示した。会社をやっているってのは儲かっているというイメージがあるらしく、思い込みでくだらない疑念を持つアーティストも少なくなかった。全く損しかなかったのに。笑。まあアーティストというのは反体制で反社会で反組織な性質をそもそも持っている人種なので当然と言えば当然なのである。

そんな数万枚くらいの売り上げのアーティストでは全く儲からなかった。やってみたらわかる。当時は借金だけがどんどん増えた。

私はそういう勘違いのやりとりが面倒くさいので、店舗を始めてから**アーティストの売り上げから一切お金をもらわないことを決めた。**そのためにもアーティスト以外で収入を得ることに注力した。

「かりゆし58」に収支説明した時も、

「お前らからなんてオレは1円ももらう気なんか無いよ、好きで面倒見ているんだよ」と言った。「ただお前らも売り出しする時は、先輩の稼いだお金使って売れたんだから、同じように後輩にも、先輩にも恩返ししてやってくれよ」とは伝えた。

こんなこともあり弊社LD&Kは音楽事務所として非常にお金にクリーンな事務所になっていると言える。そこに関しては全く心配はいらない。アーティストには安心してほしい。そこに私は全く興味がないのだから。

終身雇用で思い出したんだけど、今自分の右腕となって音楽事業部を仕切ってくれている菅原にも、ある日呼び出されて
「社長、オレはトップに立つ人間じゃありません、社長と一緒に仕事していきたいんで、2番手として終身雇用をお願いします」と言われた。
2005年頃だったたか。この時はさすがに困った。私はその時30歳後半で、創業してもう15年ほど経っていたか。予定ではそろそろセミリタイアでもしようと思っていた時に年下の社員から終身雇用の提案。予定ではなくならないことになった。
「俺、死ねないじゃんよ。」と思った。長生きしなきゃならないことになった。人生の予定が狂った。

とにかくアーティストで文句言うやつには「**自分でやってみたらいい**」って言う。自分で言うのもなんだけど、針の穴に糸を通すような仕事だ。そんなに簡単にうまくはいかない。レコードレーベルなんて人気商売だから誰もがやりたくなるような仕事だが、当時は数百とあったインディーズレーベルの大半がなくなった。そういうことだ。

カフェもまた然り。カフェもインディーズレーベル同様、人気商売で参入したがる人は多いが続けるのは難しい。そこに関しては私にはなぜか自信があった。**自分のセンスを信じていた。**

カフェをやることは決めていた。当時弊社所属アーティストには渋谷クラブクアトロでライブするようなアーティストが多かった。打ち上げするのにはみんなライブ後の移動が面倒くさいから隣のビルがいいとなった。渋谷系って感じのアーティストが周りに多いから「夜カフェ」ということでいいかなってね。

私がカフェイン中毒という理由もある。血圧低くて朝起きられないから社長やっているようなものだから、濃いコーヒーが飲みたいのに、渋谷にはなかなか旨いコーヒー屋がなくて。「羽當」という旨いところがあったけど値段が高すぎたし、当時はまだスターバックスもなかった。あっても行かないけど。

また「Don't Trust Over Thirty」って言葉にすごく脅迫されていて、その30歳を過ぎちゃった自分が若いバンドやアーティストと一緒に仕事をやっていけるのかと本当に思っていた。今も巷で言われている音楽業界に渦巻く〝閉塞感〟というものを感じていた。あと単純に、音楽も好きだけど、コーヒーも好き、カフェや車や、女の子や、おしゃれも好き、旅や、それらを取り巻くいろいろな文化が好きだった。とはいえ洋服をこまごま買うのも飽きてきた頃だったし、カフェを所有している人のほうがよっぽどお洒落だろよとも思っていた。

それで「宇田川カフェ」を2001年オープンすることにした。

「ガガガSP」が売れて、「EAGER BEAVER」の制作仕事も請け負い、ある程度の売り上げが見込め出店できる費用ができるということで、店をやることにした。

なによりも会社経営とは税制上毎年の売り上げをできるだけ平らにする作業をしなければならない。

また「ガガガSP」が売れたことで、それまでのお洒落だと思われていたLD&Kの路線が変わったなどと思われちゃあマズいので、お洒落なカフェ作らなきゃと思ったんだよね。笑。

とにかく常にイメージのバランスをとるっていうのが私のやり方。ずっとそうやって会社が大きくなっていった。今でもそうだ。

勘違いされるとマズいので言うが、「ガガガSP」は、売れてレコード会社ソニーに移籍してしまい、弊社は事務所としての部分なので、売り上げ自体はそれほど上がっていない。

前出した通り事務所印税などは微々たるものだ。とはいえLD&K時代の旧譜が売れたのだ。

この頃ちょうど日高くんの「BEAT CRUSADERS」がメジャーデビューすることになり日高くんがLD&Kを退職することになった。日高くんもメジャーがどうこうしたところで状況が良くなるわけでも無いということはわかっていたが、自分以外のメンバーのことを考えると一度メジャーに行かせてみてやりたいというのが理由だった。

同じようなことを一度メジャーに行ったKING BROTHERSも言っていた。まあわからんでもない。

それよりショックだったのは、私がカフェを始めると伝えた時、創業時からいてくれた大学の後輩の岩田から退職すると言われたことだった。飲食店をやるのはなんか違うと反対された。まあ他にもいろいろと溜まっていた不満はあったのだろう。

この時期、ほぼ創業時からいてくれた2人の退職が決まった。

その後、日高くんと入れ替わるようにして、ホリプロの紹介で妻夫木というスタッフが入社した。

堀社長から突然事務所に電話があり、

「妻夫木って兄弟がやっている3ピースバンドが解散して、弟の聡のほうは俳優としてホリプロに残すことになったんだが、兄貴のほうは裏方がやりたいって言っていて、訊いたらLD&Kとかがいいって言っているんだけど雇ってやってくれない?」と言われた。

妻夫木兄にはＬＤ＆Ｋで何年かマネージャーをやってもらっていた。「SKAD MISSILE」などを担当していた。

ホリプロは今でも弊社の５％の株式を保有している。この電話の数年後に「かりゆし５８」の「アンマー」という曲が売れた時に、弊社もインディーズながらにＴＶタイアップなどをさらに強化しようと思って、堀社長を訪ねて業務提携を提案した。

ドラマやＣＭのタイアップは主演俳優を輩出しているところに優先権があることが業界的な慣習で、当時ホリプロはバラエティ路線から俳優を沢山輩出する事務所に変貌をとげていた時期だった。その割に音楽部門のアーティストが少なく、そこを弊社が補完しようとしたのである。

トレンディドラマに「和田アキ子」の主題歌って訳にはいかないだろうと思った。

しかし堀社長は

「タイアップ主張するなんて乞食みたいじゃん」って言い放った。さすが貴族である。

最初は資本の１０％を持ってもらって同額のホリプロの株式を私が保有していた。「かりゆし５８」に松山ケンイチ主演の「銭ゲバ」の主題歌などタイアップをつけてくれた。私の株はホリプロのＭＢＯ時に返却した。

また弊社が上海と香港に海外法人を設立する時に、ホリプロが１０％株を持っていると関連会社になるということで、諸々の申請が面倒になるのを避けて5％に減資してもらった。

ＬＤ＆Ｋの株主は現在も５％がホリプロ、９５％が私である。

また韓国のアイドルグループ「ＳＳ５０１」と「ＫＡＲＡ」を弊社がレコード会社でホリプロが日本の窓口事務所となって運営するという話があったが、ＳＳ５０１は契約直前で解散、ＫＡＲＡに関しては堀社長が固辞したため破談になった。韓国の女の子アイドルには良い思い出がないらしい。

ＫＡＲＡはその後結局ユニバーサルミュージックと契約した。

今でも

「ほら、あれやっていたら２００億くらい売りあがっていたでしょ」と私が堀社長に言っても「ＫＡＲＡは結局トラブったからやらなくて良かったよー」と返される。まあいいか。

その流れで弊社がK-ＰＯＰのダンススクール「ＫＰＤＳ」を現在もやっている。韓国の有名な振付をやる「YAMA&HOTCHICKS」というダンスチームの東京校ということでスタートした。江南スタイルやティアラ、ＫＡＲＡなどの振付を付けている有名なチームで、そこは日本に韓流アイドルが来日すると立ち寄る韓流ダンススタジオのメッカとなった。

「ＫＰＤＳ」は新大久保で２０１２年からあるダンススタジオ。もともとＬＤ&Ｋ音楽事業部の韓流担当の松岡が韓国のＤＳＰからダンススタジオ提携設立の話があった時に始めた事業だ。

松岡本人がK-ＰＯＰダンスをやっていたため、話が早かった。私にはダンススタジオはわからないので、松岡には物件探しから全てをやってもらった。

韓流スタジオにはやはり新大久保が良いということで物件を探してきてくれた。代表の

私は不動産契約のため、新大久保の不動産屋に出向いた。不動産屋で説明を聞き私が代表印を押そうとすると、松岡に止められ
「え、社長、物件見なくてハンコ押してもいいんですか?」と言われた。
私は
「松岡はダンスやっていてスタジオに詳しいんだよね? お前が良いと思って探してきたんだったら問題ないいんじゃない? オレが見たところでわからないから。」と言って、結局その日は物件を見ることなくハンコだけ押して帰った。

仕事はその道に詳しい人に任せたらいい。私よりも賢い人や詳しい人は沢山存在する。

スタッフが辞めることを恐れることはない

スタッフはいつか辞めてしまうものです。

はじめてのお店を創ったばかりの頃は、何かクリエイティブな作業に参加しているような心持ちで、ほとんどボランティアのように手伝ってくれたり、遊び感覚で参加してくれたオープニングスタッフも、お店の運営が軌道に乗るにつれ、徐々に辞めていきます。

若い創業者が必ず経験する誰もが通る道なのです。一回目の試練ともいえましょう。

物凄く、寂しく感じたり、悲しく感じたり、または怒りを感じたりするかもしれませんが、経営者とは、常に孤独感と戦う運命なのです。

人はみな、それぞれの人生があります。一生懸命考えて生きているのです。

辞めていってしまうスタッフがいることを気にすることはありません。

そもそも５０、６０歳まであなたのお店に居続けることは困難なのです。素敵なことですが。

ただ、お互いに勘違いをしたまま辞めていってしまうのは残念なことなので、常にスタッフには長期的な視点や考え方、フィロソフィーを伝えることでモチベーションを上げる作業をしましょう。

それぞれの人生です、わたしは**「去る者追わず」**の精神で日々生きています。

宇田川カフェ開業——

宇田川カフェの店作り工事自体は順調に進んだ。で、ここで問題が起きる。光通信を中心とするＩＴバブルがはじけて、前出の「EAGER BEAVER」が潰れた。その時の代表が印鑑を持って逃げた。

会社設立からちょうど1年。債権者会議みたいなもので私をそこに誘った山中さんに説明を受けた。しかし出資者が別に存在する株式会社で取締役のおっさん達も皆雇われだった。皆が被害者みたいなもので誰も責められない。そして誰もいい年をして責任を取ろうとしない。

音楽出版社としてバーニング音楽出版の樋口さんが関わっていた。

私は、山中さんに

「わかりました。お金はもう要りません。その代わり二度と私の前に現れないでください。」

とだけ伝えてその場を退席した。

その時、それまでに弊社ＬＤ＆Ｋが請け負った製作費の２８００万円は未回収が確定した。というか確定させた。

それを菅原に伝えたら、

「え。マジですか。それどうするんですか。まあ社長がいいっていうんなら仕方ないですけど。」と肩を落としていた。

まるまるその売り上げを当てにして「宇田川カフェ」の工事を発注していたものだから工事代金の支払いが出来なくなった。困った。

とにかく支払えないので、工事業者に頭を下げて詫びた。支払いを分割にしてもらった。

その頃の私は、食の師匠である石橋さんのところに毎週3日は泊まり込みで遊びに行っていたりしていたのだが、すっぱり行くのをやめて、真面目に現場に戻り仕事を沢山して半年で穴埋めした。

私にはこういうことが数年周期で巡ってくる。

例えば「ガガガSP」主催のフェスを六甲山でやった時、1年目の初回に「マキシマムザ ホルモン」や「銀杏BOYZ」など盟友バンドが出演してくれて多少の黒字になった油断からか、2年目は2日間で4500万円もの赤字を出した。

それでも「やっていいよって言ったのは俺だもんな」と担当を怒ることもなかった。

私は**悪気がないことに対しては1回目は怒らない。**次からの勉強にして上手くやれよと伝える。

重要なのは、「何とかなる」ではなくて「何とかする」ってこと。今回のコロナ禍もそうだけど、何年かの周期でこんな風にバチが当たって、痺れるわーって事が起きる。その都度「あー来たよ。痺れるねー」ってね「今回はさすがにキツイねー」ってなる。

でもね、この**痺れる感じが無いと人間って成長しないのです。**

乗り越えて大きくなるという、人としてのキャパシティーが試されている感じ。

ハードルがどんどん高くなるって言うのかな。だんだん麻痺してくるのです。逆境を乗り越えて生命力だけは強くなっていきます。

私が今でもあまり仕事せず、海外などに行ったりして遊び惚けているのは、常に困った時に備えた「伸びしろ」だと思っている。「伸びしろ」や「あそび」がない会社はいざという時には危ない。

遊ぶことや旅行に行くことは大事です。この頃よく家に遊びに行っていた食の師匠と呼べる石橋さんにはいろいろなところに連れて行ってもらった。

中国広州まで中国茶の買い付けなどにもよく行った。香港から列車で広州にいって、広州から車で20分くらいの芳村という村に中国茶の集積場がある。カフェで提供する中国茶の買い付けをした。

香港でも市場や問屋街巡りをした。

それが習慣になり、私自身も食材を求めて世界中いろいろなところに出かけては食材や料理を見つける旅に出た。旅は仕事に役立つヒントや発見がたくさんある。

商売人というのはモノの価値のズレを商売にしている。モノを仕入れて売るということはそういうことだ。物価や文化など、旅に出ることで仕事のネタが見つかる。日本にあったらいいなという店やサービスやデザインなどは沢山見つけられる。芸の肥やしみたいなものだ。

だから私は海外旅行に頻繁に行った。

結婚する以前は、常に大勢の彼女がいた。

実はこれは旅をする際のハレの場のシチュエーション体験するための同行要員だった。いわばリサーチ。それぞれ別々の女の子と毎週のように飛行機で旅行に行った。

だから結婚した当初も、その年に妻と6回海外に新婚旅行に出かけた。

そしてその後、社員旅行がそれにとって代わり、年に6回は海外に社員旅行に行くようになった。

それもあって弊社LD&Kの**社員採用基準は、私がこいつとなら一緒に旅行に行って楽しいかどうか。**という基準で決めている。

そうやって採用した社員は結果的にコミュニケーションが取りやすい人材、ということになって、それがあながち間違いじゃないことに気付く。

その結婚する前の沢山いた彼女たちの中に、最初の「宇田川カフェ」の店長となる小林がいた。

実は私には会社を作る時の自分への約束として「社員とアーティストには絶対に手を出さない。抱かない。」という掟があった。

ハニートラップは毎週のようにあってキリがなかったし、たくさんレコード会社のそういう人達を見てきたので会社の秩序を守るため戒めとして自分にだけはと決めていた。

創業してカフェを出店するまでの10年ものあいだ守ってきた掟をこの時みずから破った。後にも先にも掟破りをしたのはこの時だけ。必要にせまられて彼女を最初の店長にした。その時は店を任せるほど信頼がおけて料理が出来る人が他にいなかった。なあなあな関係にならずによく働いてくれた。感謝している。

創業10年目、2001年の出来事だった。

24/77

旅をしなさい

旅をするのです。国内でも海外でも、とにかく旅をして見聞を深めるのです。だらだら旅行をしていても仕方がありません。食や食材に触れ、人の生活に触れるのです。私は、国内どの地方に行っても、世界のどの国に行っても、必ずその地元の市場を訪れるようにしています。なにかしらお店にとって役に立つヒントや新しい発見はあるものです。

ここ数年は、店長や本社社員を海外旅行に連れていくことにしています。本社を含めるとのべ数十人になってしまうので、１年に数回ほどグループに分けていろいろなところへ連れて行きます。基本的に現地では各自自由行動ですが、希望であれば、全てアテンドして現地の市場でボッたくられているスタッフを横目で見て、ほくそ笑んだりしています。**商売のシンプルさを体験する、**お勉強ですね。

そのため、社員には、このような社員旅行とは別に、自分でも休みをとって海外旅行に行けと言っています。

旅で一番大事なのは、**日本の常識という固定概念をずらす訓練をする**こと。

旅で頭を柔らかくしてイレギュラーのことでも対応できるキャパシティーをつくりましょう。

― 4/77 ―

自信を持て、センスを信じろ

カフェを始めたいあなたは、きっと自分の理想のカフェを思い描いているはずです。あなたが本当に、自分らしく生きていくためにカフェをやりたいと思っているなら、いろいろなカフェを巡り、自分が開業するならこんなお店にしたいなどと、頭の中で妄想含めシュミレーションしているでしょう。

また、そんな自分の夢を想像している時間が、カフェをオープンさせる過程で一番楽しい時でもあります。うっとりですよね。

きっとあなたは大のカフェ好きで、他の人よりもいろいろなカフェを巡って、カフェのことは良く知っているはずでしょう。テーブルウェアだって大好きです。それで充分です。

自信を持ちましょう、自分のセンスを信じてください。

まだ**自分のやりたいカフェが想像できていないのならば、独立開業は時期尚早**です。クリエイティブな作業にはイマジネーションが不可欠なのです。

焦らず素敵なカフェが想像できる時を待ちましょう。

増えていく店舗事業

-since 2001-

宇田川カフェ

宇田川カフェ

住所　東京都渋谷区宇田川町 18-4 LD&K ビル 1F/ 2F
電話番号　03-6416-9087
営業時間　11:00 ～ 29:00

https://www.udagawacafe.com/new/

「宇田川カフェ」

２００1年8月オープン。ＬＤ＆Ｋ飲食店1号店。最初は２０坪。元祖「夜カフェ」。「夜カフェ」になったのは、私が夜型人間だったこともあるが、本当は入居したビルが古くてエレベーター周りや共用部が古くて、いくら掃除しても明るいうちの店内が汚くて見られたものじゃないってことが理由だった。

よって最初は１７時にオープンして、朝までの営業の店となった。

今となっては不動の人気店ですが、オープン当初の３か月間は本当にお客さんが来なかった。

お客さんがこなかったのも最初の「宇田川カフェ」はビルの7階、勿論外から中の様子がわかるはずもなく看板すらも出していなかったのだから当たり前だ。怪しさ半端ない。

それでも、せっかく雇ったアルバイト達に辞められても困るので、安心させなきゃと思って、

「大丈夫、最初はこんなもんだよ、そのうちお客さん来るから。」と言いながら、誰もいない店内でダーツなどをやって時間をつぶしていた。

私はこの時はこのまま内心どうなることかと自分でも思っていました。

内装は、家具に関しては私の私物で揃えた。なぜか私の一人暮らしの部屋には椅子が沢山あった。そもそも椅子が好きなのである。２回立ち退きで場所を移転しているが、いまだに最初の時の椅子も使われている。

お客さんが来なかった原因はなんてことはない理由で、外看板に店舗の内観の写真を貼り付けてみたら、お客さんが続々と入って来るようになりました。

知る人ぞ知る店という感じで、本業絡みの音楽関係者と芸能人がよく使ってくれた。そのうちに大人気店となって本当に忙しくなった。オープンした年の9月にはNYの貿易センタービルのテロがあった。私も店にいたのでよく覚えている。リアルタイムでネットの映像を見ていた。

最初の店長の小林は、立ち退き移転のタイミングで辞めてしまったが、本当によくやってくれた。元カノなのに別れても5年間も続けてくれた。

2001年の最初の店のオープニング時期から働いてくれているスタッフが、今でも「宇田川カフェ」本店の現在の店長の森と、2号店の「宇田川カフェ別館」の現在の店長のヒロ。それぞれもう20年在籍していることになる。

長い間ありがとう。引き続きよろしくお願いします。

5年後の2006年、最初の立ち退きで1回目の移転をした。立ち退きのタイミングで偶然クアトロの裏の路面1階「BOYLSTON CAFE」が撤退して至近の物件が出た。エリア的に人気の物件でかなりの申し込みがあったらしいが、大家の会社の物件担当者が、当時弊社LD&Kのアーティスト「STRAIGHTENER」のファンだったということで弊社に決まった。ラッキーだった。

この時の内装は、毎年遊びに行っていたNYのソーホーのソニック・ユースの店の隣にあったラウンジカフェのファサードの感じを参考にして、内装はバリやタイあたりの南国リゾートの雰囲気をＭＩＸしたイメージにした。

基本的に全ての店の内装イメージは私が全て決めています。旅先などでインプットしたものや、実際の夢で見るものがそのまま現実となります。センチ単位で的確に指示します。

私は多くの店の内装を実際に眠っている時の夢で見ます。アーティストと契約する時もそのアーティストがライブをやってお客さんが盛り上がっている景色まで夢で見えたら契約します。

私は予知夢をかなりの頻度で見ます。実際その時にならなければデジャブというのは気づきませんが、打ち合わせなどがこじれる内容の夢を数か月前に見ることがあります。その後悪い展開になる夢であった場合、急にトイレに行ったりして現実の展開を変えます。悪い流れを夢で見ているので、断ち切ることが可能です。何度かそれで助かっている場面がありました。

とにかく私の仕事は全般的に理想を現実にする仕事です。完成してお客さんで賑わった理想的な景色は私にとっては既に見たことのあるデジャブなのです。

「宇田川カフェ」2回目の移転も立ち退きだった。すでに「STRAIGHTENER」が好きだった担当者は居なくなっており、なかなか面倒なことになった。渋谷駅周辺の再開発がピークを迎えていて、渋谷の家賃相場も高騰していった時期と重なる。新築に建て替えると再入居の家賃が2．5倍以上になることを提示された。到底無理な話だった。またオリンピックを見込んで工事価格も高騰しており移転には苦労した。

たまたま「西武ＬＯＦＴ」横の現在の物件を紹介されて２０１７年移転することが出来た。１棟４階建てのビル。１階と２階を「宇田川カフェ」として３階は事務所とした。屋上にもテラスと小さな部屋があり、そこが私の社長室となった。テラスには花壇を造って沢山の草花を植えた。バスタブを置いて風呂にも入っている。渋谷の真ん中で露天風呂は最高である。


この時期、２、３年の間、既存店舗の業態変更やリニューアルはあっても店舗を新規出店することは極力控えていた。飲食業界は超人材不足の時代を迎えてもいた。出店するには良くない条件が揃っていた。


その数年後、コロナ禍になってから新規店舗を続々と増やしたのも弊社の既定路線だった。

家賃の高騰、工事代の高騰、人材の不足という飲食出店の障壁３点は世の中が不況になれば解消されることは私には織り込み済みだった。

私もすでに何度となく好不況を経験しているのでそのあたりのコントロールに長けている。オリンピックが終われば不況になる。不況になったら諸々の条件が良くなるので新規店舗の出店を開始する。ということを決めていた。

もうちょっと待つように担当者には指示していた。

しかしオリンピックが終わる前に、コロナ禍になってしまい、周知のとおりである。想定よりも早く不況が訪れた。出店のチャンスが早く訪れたのだ。

ここで元スタッフで小説家になった「西加奈子」のコメントを紹介します――

西加奈子（元　宇田川カフェ／旧宇田川ラヴァーズロック店員）

アルバイト募集の貼紙に「アットホームな職場です♪」などとあると、鼻白む。手書きの名札に「あっき～な☆生肉大好きデス」とか書いてある奴も、知らんがな。バイト同士異様に仲の良い職場は、客にとって「精神的に喧しい」。

とはいえ、宇田川カフェで働いていた我々も、恥ずかしながら仲が良かった。でも、件の「喧しい」職場とは、少し違っていたように思う。「仲のいい自分たち」に酔うことなく、純粋に、店が好きだったのだ。そのうえで、「何らかの形でこの店を超えてやる」的な、澱を持っていたように思う。店に留まるのなら売上伸ばす、やめるなら店を開くか阿呆なりに「なんかでっかくなる」という、成り上がりの根性があった。もちろん皆ではないが、少なくとも、長くいた人は、そうだった。

そこには、大谷秀政という、社長の存在が大きく関わっていると思う。とにかく放任主義だった。店のことを五月蠅く言わない、店を開きたい奴がいれば、企画次第で金を貸してくれる。

こう書くと、なんて素晴らしい人、と思われるだろうが、めっちゃ怖いで。「好きにしていいけどいらんことしたら笑いながら殺しちゃうぞ?」というマフィア感がぷんぷんに漂っているのだ。

私達は、褒められたいとか、超えたいとか、何らかか彼を意識していたように思うし、また

西加奈子 コメント

どんなにイキっても、結局は彼の手中にあるのだということを自覚していた。

そして、「カフェで夢持って働く若者」という、絶対キラキラしているはずのレーベルに属しているのに、皆、拭いがたい泥臭さを持っていた。

なんていうか「本気」だったし、こうなったら「お洒落なカフェ」と認識されていることと自体、胡散臭かった。

もしかしたら「アットホームな♪」とか、「手書きの名札☆」、などより、いっそ「精神的に喧しい」職場だったのかもしれない。

前を通ると、お洒落すぎて、うそつき!本性見せなさいよ!と言いたくなるときもあるが社長の店である限りは、泥臭さと胡散臭さは消えないだろう。

私はその2つの「臭さ」を、心から愛している。


西よ、良いコメントありがとう。しかし「鼻白む」と原稿打ちながら、なんて読むのかわからない。いまだにわからない。

-since 2002-

-since 2010-

LOVERS ROCK

宇田川カフェ別館

宇田川ラヴァーズロック／宇田川カフェ別館

住所　東京都渋谷区宇田川町 36-3 渋谷営和ビル 6F
電話番号　03-3464-9693
営業時間　月〜木 15:00 〜 26:00
金・祝前日 15:00 〜 28:00
土・祝日 12:00 〜 28:00
日 12:00 〜 26:00

https://www.udagawacafe.com/bekkan/

「宇田川ラヴァーズロック／宇田川カフェ別館」

結果的に、宇田川カフェが物凄く流行るようになってしまい、私の居場所が無くなった。世の中はいつの間にかカフェブームになっていた。私は、自分の居場所を作るために店を作ったのに、当然だがお客様優先になってしまう接客を理由に2号店を作ることを考えた。

カフェを作ってまた流行ってしまったら同じことになってしまうので、カウンター主体のバーにすることにした。バーにすれば流行らなくて安心だと考えた。20坪程度の店内にDJブースを作って、学生の頃、新宿にあって良く遊びに行っていた「69」という小箱のレゲエクラブをイメージした。

西加奈子がこの店にバイトとして応募してきたのも、弊社が「RIDDIM」というレゲエのフリーペーパーに広告を出していたのを見たからだった。弊社で売り出していた「カルカヤマコト」という女性シンガーの広告にあわせてスタッフ募集の告知を入れていた。

レゲエとロックステディに特化したバーだった。やはり、数年間は流行らなかった。だるいですものね。要はレゲエ好きにお金を持っている人が少なかったのです。ヤーマン。

初代店長の星川健が辞めるタイミングで2010年7月に「宇田川カフェ別館」に名前を変えた。

2代目の店長は「宇田川カフェ」オープニングスタッフの元澤ヒロがやることになった。ヒロは今「宇田川別館バンド」というバンドを組んでボーカルをやっている。この店のスタッフが中心となってロッキンオンなどの大型フェスのバックヤードのドリンクブースを請け負っている。

-since 2003-

CHELSEA HOTEL

住所　東京都渋谷区宇田川町 4-7 トウセン宇田川町ビル B1F
電話番号　03-3770-1567
営業時間　公演に準ずる

http://www.chelseahotel.jp/

「CHELSEA HOTEL」

本業の音楽レーベルの仕事をしていて、所属するアーティストがライブをする際、例えば下北沢あたりの既存のライブハウス。ブッキングしたくても、週末はほとんどスケジュールを押さえられなかったりとか音響設備や構造上の問題で音が悪い。歌が全然聞こえないなどの問題が常にあった。

これにはアタマにキタ。ということで自社でライブハウスを作ることにした。本体が音楽プロダクションである以上、音の良いライブハウスを作らなければならない。そして柱などが無い見やすいところだ。

渋谷のハンズ前、昔のカフェバー全盛の時代に流行った「チャールストンカフェ」が撤退するというのでそこに出店を決めた。地下約60坪キャパ300人。チャールストンカフェの良い具合の内装をある程度活用した贅沢な造りになっている。

弊社のライブハウスは赤い。世の中のライブハウスはほとんどが黒い防音材だけでそっけない内装。私はあくまでもライブというのはハレの舞台なのだから、それなりにアガる内装であるべきだと常に考えている。空間としてアガらなければならない。エンタメなのだから。

あと私は新しい物件が嫌いだから、工事業者に出来上がったそばから内装を燃やせと指示した。燃え跡でライブするなんて素敵だよねと思った。火を付けるのは出来ませんと言うので、仕方なくシャンデリアを割ったり壁やカウンターをぶん殴ったりして廃墟感を演出した。

その後、本当にCHELSEA HOTELを燃やしに来た奴がいた。大阪の茨木からきたニートで無差別殺人犯が、店の中のエントランスを入ったすぐのところでガソリンを7リットル撒いて火をつけて皆殺しにしようとした。犯人は絢香のファンらしく、絢香のホーム的な存在だったCHELSEA HOTELをたまたま検索したらしい。そして当日がニコ動のイベントで入場無料だったのも犯人が来た原因となった。

「とにかく人を殺したい」と言っていたらしいのだが、店長の川崎がタックルして押さえ込み、火はつかなかった。

この事件はNHKなどですぐにニュースになった。秋葉原の通り魔大量殺人からそんなに日が経っていなかったため、騒ぎになった。

その日は150名ほどの集客があったから火がついていたらやばかった。全員死んで建物ごと壊されて慰霊碑が建つところだった。

ちびっこ相撲出身の店長川崎は警視総監に表彰されました。ファインプレーだった。

私はその時、近くで麻雀をやっていて、店長から電話があった。事後だったのとお客さんに怪我人がいないとの報告だったのでそのまま麻雀を続けた。

寝る前にアメブロに事件についてのブログを書いたら、世の中の人は「チェルシーホテル　オーナー」で調べたらしく、翌日の私のブログが既読数で1位になっていた。

「弊社のライブハウスはそもそもニートみたいな人がたくさん来たりしているから区別つかないんだよね。」っていうのと、「犯人も世の中に不満があるのならパンクバンドでも組んでから来てね。ライブハウスだから。」という部分が大炎上していた。

さらに翌日は妻子とディズニーシーに行く予定だったので、囲み取材は店長に任せて、「テロリストより怖い家族とディズニーシーなう。」とブログに書いたらまた炎上した。笑。

佐藤直雅氏の Facebook
(https://www.facebook.com/100003674035004/posts/1889595311172918/?d=n) より

2020年5月3日
以前大谷さんと一緒に麻雀をしていた時、
大谷さんの携帯の電話が鳴り、何やら電話相手に指示をして電話を切ったので、「何かありました?」って聞いたら「経営する渋谷のライブハウスでお客が灯油かガソリン撒いて放火したみたい。」ってさらりと言ったので「直ぐに行かなくていいですか?」って言ったら、「いやスタッフに指示して犯人も捕まったから大丈夫。」と言って麻雀を続行した事があり、その時「この人どんだけ腹が座ってるんだ?」って思った記憶があります。
ホームレスからレーベルを立ち上げ、
アーティストを抱え、全国にライブハウス、カフェをはじめとする飲食店を何十店舗も運営されてます。
スタッフを最大限信頼し、いざという時に強いリーダーシップを取る。
他に類を見ない経営者です。

58/77

お客さんのストーリーを把握せよ

お客さんの行動を調査しましょう。どういった経緯で自分のお店を訪れているのかをイマジンするのです。そう、かのジョン・レノンのように。

カフェはいろいろな用途に使われます。打ち合わせをしたり、食後のコーヒーを飲みに来たり、映画を観た後に寄ったり、友達に相談事をしたり、あれをしたり、これをしたり。

お客さんの行動を把握することで、あなたのお店がお客さんのために何をしたら良いのかが、おのずと判ってくるのです。

お客さんの行動や利用動機は、店のムード作りにも関わってきます。時間帯によって店内の照明を調節したり、ＢＧＭの音量や選曲を考えたり、時間ごとのメニュー構成にも反映させることが出来ます。

良い**「ムード」**がなければ、わざわざ家の外に出掛けて割高な飲食はしないのです。

カップルが多くデートつかいが多い週末と、ビジネスマンが多い平日とでは、お店の雰囲気は変わってきます。いや、変えるべきでしょう。**ＴＰＯに合わせた環境を作りあげましょう。**

そして深夜帯や週末は、**うっすらとセックスを意識させせましょう。**

-since 2003-

宇田川カフェ
Suite

宇田川カフェ “suite”

住所　東京都渋谷区宇田川町 36-12 1/2F
電話番号　03-3464-4020
営業時間　12:00 ～ 24:00
　　　　※金・土・祝前日～ 29:00

https://www.udagawacafe.com/suite/

「宇田川カフェ"suite"」

そしてすぐに「宇田川カフェ"suite"」を出店することとなる。

宇田川カフェの料理はすべて手作り。もちろんケーキなどスイーツも手作りなのですが前出の既存の2店舗の厨房の空間に余裕がなかったため、ケーキを作る専用の店が欲しいということになった。

そしてタイミングよく同じエリアの路地裏に安い物件が見つかった。渋谷宇田川町にあって2階建ての一軒家。1フロアが18坪×2層構造。なかなかない物件だ。

この店から、宇田川町内の系列店舗にケーキを配布している。いわばセントラルキッチンだ。最初の頃は私が香港スイーツにはまっていて糖水などスープ状のデザートも出していた。

ただこの店は最初の数年間が酷かった。キッチンが奥まってお客さんから見えなかったレイアウトのため、スタッフが奥にたまって遊んでしまうのだ。どうしても直らなかったので一度スタッフを全員クビにしたことがある。宇田川カフェが流行っていたための傲りなのか、店長以下全員をスタッフ入れ替えしたら格段に良くなった。業績も上がった。メニューや立地などは変わらなくても店長が良ければお店は変わるのである。それが証明された良い例だった。

しかし、ここの物件だけは定期借家契約。再開発エリアだからなのだが再開発すると言われて20年ほど経っている。隣の建物2軒はすでに取り壊されて駐車場になっています。いつまで営業が出来るのか、今も日々ビクビクしながら営業しています。笑。

-since 2005-

梅田 Shangri-La

住所　大阪府大阪市北区大淀南 1-1-14 1F
電話番号　06-6343-8601
営業時間　公演に準ずる

http://www.shan-gri-la.jp/

「梅田 Shangri-La」

２００５年、大阪に進出することにした。過去の京都メトロなどの提携も含め、ＬＤ＆Ｋのアーティストは関西で人気だった。当時は大阪の会社かと勘違いされるほどでした。大阪でＬＤ＆Ｋナイトなどを手伝ってくれていたソニーのＳＤの仲村ちゃんに誰か仕切れる人紹介してくれない？と聞いたらＳＤの部下の西岡が紹介された。彼女は元心斎橋クアトロの女性ＰＡである。

当初は大阪のライブハウス物件はやはり心斎橋あたりで探していました。よって最初の大阪事務所の準備室は心斎橋のアップルストアの裏手隣のマンションに構えていました。ただ心斎橋に出店地を探しても候補地はこまごました店舗物件ばかりで私の理想とは程遠かった。

ＬＤ＆Ｋが満を持して大阪進出するのである。期待に応えなければならない。

今の梅田大淀南の物件を見つけた時はそこに古い倉庫が立っていた。その倉庫を改造すれば比較的安く７０００万程度で開業できると思い契約した。倉庫は古かったので土地だけ月１００万円で借地権という形になった。工事業者に見てもらうと「こんな古い倉庫、壊してしまって更地から作った方が簡単にいいもん出来ますよ。」といわれた。

その時はこんな木造の倉庫の内側に無理やり鉄筋組むならそっちの方が簡単そうだなと素直に思いました。

業者の言う通り倉庫を撤去して、更地に建物を作ることにした。いざ壊して地質調査をしてみると、岩盤まで38メートルあって、そこまで基礎の杭を打たなければならない。阪神の大震災もあったのでそのあたりは厳しい。その基礎の杭だけで2000万円かかると言われた。さらにライブハウスを柱無く作ると2億円以上かかるとも言われた。もう倉庫は壊してしまっている。今から大家さんに「やっぱりなし」とは言えない。自己資金なんてまるでなかった。かき集めて7000万円くらい。結局、工事総額は2億8000万円だった。プラスPAなどの機材費が数千万円かかりました。

3階建てに出来るのを2階建てで妥協しました。資金は私がなんとかしました。全く記憶が無くなるくらいなんとかしました。なぜ支払えたのだろう。いまだに不思議です。

その数年後、さらに地主さんから借地権になっている土地を買ってくれないか?と打診があった。先代が亡くなったとのことで遺産相続でどこかを処分しなければならないが、うちが借りている土地が1テナントなので一番売りやすいのだと言われた。地主の跡継ぎの方は画家をやっていてライブハウスなどに理解のある人だった。すでに梅田シャングリラは建物に投資しているし、もしも他の方が地主になっては安定した事業が営めないと思われた。必然的に買わなければならない状況になった。この土地は80坪で2億8000万だった。

土地を購入するというのは比較的簡単で土地自体が担保になる。最初の建物を建てる時よりは資金繰りが楽だったと記憶する。梅田は合計で6億程かかったことになります。ぎゃふんです。

ここの最初の店長は大阪の「レインドッグス」という店にいたシングルマンという男がなった。私と同じ年でフィッシュマンズが好きで、競馬が好きな男だった。ある年の年末に店の売り上げを有馬記念に突っ込んで、後にクビになった。

着服は、シングルマンのデスクに開高健や寺山修司などの本が置いてあったのでピンときて発覚した。これらの著者のファンは競馬好きが多い。彼の名誉のために言っておくとすぐにクビにはしなかった。解雇しても職を失って返済できないからだ。働いてちゃんと返してもらった。

それ相当に話したので頑張って働いてくれた。結果的に使い込んだ10倍ほどは稼いでくれた。

私もお人好しなので、返済の終わったシングルマンをその年の社員旅行でマカオに連れて行った。

カジノの同じテーブルで彼のツキの無さをまざまざと確認した。そして「社長、チップ回してくださいよ」と言われた瞬間、「ああこいつはやっぱり無いな」と確信した。そしてようやく解雇した。

後任には、シングルマンのレインドッグス時代の後輩の喜井が引き継いだ。引き継いだといっても急に振られて、苦労しただろうが今は本当によくやってくれている。

最近はラジオのレギュラーをやってライブハウス自体を盛り上げてくれているし、周年イベントも大阪城野音でやってくれる。現在、とっくにシングルマンの倍くらいの在籍日数となっている。

梅田シャングリラの屋上にテントサウナを送ったら、ちゃんと設営して管理もしてくれている。

ライブ後にサウナも入れて、宿泊もできるライブハウスなんてちょっと他には無いし最高なんじゃないかなと思っている。

サウナ後のあそこからの北梅田の夜景は格別です。

9/77

お金が無くてもお店は始められる

カフェの相談といっても、なんだかんだいってやはりお金の相談に来る人が多いです。「店をやりたいのですが、先立つものが」という人が多いのも事実。

おいおい、思いつきで店始めようって？少しは計画立てて生きてくれよ、とも思います。

正直言うと、あなたが仮に30歳だとして「今まで10年近く、社会人をやってきた過程で、小さなカフェを1軒始める程度の信用、または知恵が無いのか」と言いたいのです。

銀行など金融機関や自治体はもちろん、周りにいる大人や友人や知人、仕事先など、本当にあなたがその気になれば、お店の一軒くらい何とかなる信用と知恵があってしかるべきです。

私自身、カフェやライブハウスをオープンするにあたって、お金があらかじめ用意されて始められたことなどありません。もちろん、親の面倒になったこともありません。

最もひどかったのは、土地も建物も全部借金でつくった大阪のライブハウスとカフェ。自己資金など全くない状況で総額6億程かかってしまい、正直、「やっちゃったな」と思いましたが、何とかなりました。結局、**必要なのは何とかする行動力と、人を説得できるビジョン（事業計画）**なのです。

ソフトバンクの孫さんや楽天の三木谷さんも、みな自己資金など無かったのですから。

-since 2001-

-since 2016-

MAMBO Inn

Mambo Cafe／MAMBO Inn

住所　大阪府大阪市北区大淀南 1-1-14 2F
電話番号　06-6343-8602
営業時間　チェックイン 15:00 ～ 22:00
　　　　　チェックアウト 11:00

https://shan-gri-la.jp/mamboinn/

「Mambo Cafe／MAMBO Inn」

梅田シャングリラに併設する形で、２階にカフェをつくった。名前は「Mambo Cafe」。オープン記念に、私の監修によるマンボのコンピレーションCD「MAMBO CAFE」を発売させてもらった。ＢＭＧとソニーの２社から同時リリースとなった。ラテン系のＤＪなどもやっていたので得意分野でもあった。やはり趣味は仕事になる。

ここではカフェライブなどを頻繁に行った。しかしながらオープンして数年は赤字だった。結婚式の２次会などを受けていた。ありがたい話だが、通常営業で満席を続ける方が店は売り上がるのである。準備とクロージングのロスタイムを加味すると貸し切りパーティは採算が悪い。結婚式の２次会をやっている店はあまり流行っていない店なのです。

コロナ前の２０１８年あたりから、観光客の急激な増加による関西圏のホテルの需要過多で、ツアーで来阪するライブバンドがホテルを押さえられない事態が起きるようになった。

このホテルを押さえられない事態がライブハウスや音楽事務所としての本業に影響を与えるようになってきたので、思い切って宿泊施設に改装した。その名も「MAMBO Inn」。バンドが泊まれるライブハウス。屋上でサウナも入れる。最高かよと思う。

同じ２階のフロアにはＬＤ＆Ｋ大阪支社がある。２０２５年に向けて大阪万博がある。この近くに新駅「北梅田駅」も出来て、裏に隣接している道路が拡張されて幹線道路になる。楽しみだ。

-since 2007-

Sakurazaka Central

桜坂セントラル

桜坂セントラル

住所　沖縄県那覇市牧志 3-9-26 1F
電話番号　098-861-8505
営業時間　公演に準ずる

http://www.nahacentral.com/

「桜坂セントラル」

大阪の次は沖縄に進出。なんていうつもりは無かった。
沖縄の「かりゆし58」をデビューさせて、まだそこまで売れていない状況の中、バンドメンバーを食わせていかなければならないと思い、最初は練習スタジオの物件を探していた。メンバーに店員をやらせて食わせて、練習もできるので良いと思っていた。その状況のなか、沖縄の老舗ライブハウス「ヒューマンステージ」の閉鎖移転が発表された。沖縄では300人キャパのこのハコの使い勝手が一番良かった。

私は内地からきた外様なので、沖縄でのライブハウス参入には正直遠慮と躊躇があった。しかしPMエージェンシーなど地元のイベンターの後押しがあり、どうせならライブハウスを作ってくれということで請け負った。それでライブハウスをやることに方向転換した。

桜坂はもともと好きなエリアで、那覇のサブカルチャー発信には桜坂が適所だとおもっていた。もともと那覇で一番の古い歓楽街で、単館映画館の桜坂劇場やゲイバーなどが密集するエリアだ。

最初は現在地の向かいの駐車場のところに更地から何億もかけて物件を建てる話であった。現地に行った時。向かいの元スロット屋だかキャバレー跡地のような今の物件を見つけた。更地からの建築は大阪で懲りていたので既存物件のこちらにした。

ここは本当に一世を風靡したキャバレー跡地だった。当時の名前は「キャバレーセントラル」。

「昭和の時代には「田宮二郎」も来てたサー。前を通る時は背筋が伸びたサー。」と桜坂社交界時代を知るオジーやオバーは言っていた。出来れば名前もそのまま残して欲しいと言われ「桜坂セントラル」という名前のライブハウスになった。約70坪、キャパ360名。しかし沖縄の工事業者は図面を見ない。てーげーというやつだ。工事代金の半分を中抜きされそうになるトラブルはあったが。なんとかやり直させた。

また、練習スタジオに関しては、「かりゆし58」の初期にギターで手伝ってくれていた一成のリハーサルスタジオ「STUDIO HYBRID」をLD&K傘下に招き入れることとなった。桜坂セントラルの照明担当と結婚することとなり、生活を安定させたいのと改装したいということで流れ的にそうなった。結果、一成も沖縄でLD&Kの社員となった。

今の店長はIZAMやHYなどのマネージャーをやっていた鈴木がやってくれている。初代店長だった知念さんは先日亡くなってしまった。肝硬変だったとのこと。アル中だった。安らかに。ありがとう。

-since 2007-

琉球 LOVERS ROCK

琉球ラヴァーズロック

住所　沖縄県那覇市牧志3-9-26 2F

「琉球ラヴァーズロック」

桜坂セントラルの建物は2階建て。一棟借りで借りた。もともとスナックが3軒入っていたのを地上げ立ち退きしてもらい、そこを2部屋に改装して、1部屋はLD&K沖縄事務所に、そしてもう1部屋を「琉球ラヴァーズロック」という名前のバーにした。

オープン当初、地元ヤクザが暴れに来た。沖縄もまだまだ田舎である。今時みかじめ料で小銭せびろうなんてヤクザは相当な田舎にしかいない。まともにやっていたら割に合わないだろうよと思う。

みかじめの担当やらされているヤクザなんて、そもそも下っ端で中学の時はパシリだったような奴がやっている。中学からアタマ取っていたやつはヤクザに入って下から始めるなんてしない。

だから店で暴れるようなヤクザはきっちり対応してあげたらいい。普通にあきらめて来なくなる。

それよりも厄介なのは、一般人のクレーマーである、仕事でやっているヤクザと違って打算的でなく死なば諸共、クレーム先が潰れるまで戦ってくる。どちらにせよ真摯に対応するしかないのだが、まあそういうことだ。下っ端のヤクザにビビる必要はない。

その後、バースタッフの一人の「まり」という女に店を譲った。「毬がとう」という店になった。出産結婚を機に店を閉め、今は宮城さんが「ギャレット」という店をそこでやっている。私も今でもたまに飲みにいったりDJをやらせてもらったりしている。

-since 2008-

AUTHENTICA

赤坂 AUTHENTICA

住所　東京都港区赤坂 3-5-2 サンヨービル 1F

「赤坂 AUTHENTICA」

赤坂に薪のピザ窯を設置できるイタリアンレストラン「赤坂 AUTHENTICA」を開業した。赤坂日枝神社正面角地、元アンナミラーズ跡地約70坪。宇田川カフェのチーフシェフだった加藤が優秀なので赤坂にピザをメインにしたイタリアンレストランを造ることにした。先の高橋くんとのインタビューで壁をぶち抜いたといっていた店。イタリアのナポリからデカいピザ窯を数百万かけて取り寄せた。ピザは最高に旨かったし。日枝神社や周辺にホテルも多く、結婚式の2次会をよく受けていた。

オープンすぐの春に、向かいの日枝神社で「神職の巫女レイプ事件」があり少し需要が減った。

オープン2か月後にもともと暴力団「住吉会」の本部が近くにあるところに「稲川会」が引っ越してきて、赤坂が暴力団で緊張感あふれるタイミングだった。この店は「稲川会」の親分が昼間からよく使ってくれた。きっぷのいい、素人には優しい親分だった。

ビルは「サッポロ一番」のサンヨー食品本社ビル。2011年に東日本大震災があり、「サッポロ一番」袋ラーメンが売れた。大家が儲かったお金でビルの修繕を兼ねたリニューアル工事をしたいとのことで、急遽 AUTHENTICA は立ち退きとなった。理不尽な立ち退きの裁判に2年かかった。それ以降、大好きだった「サッポロ一番」のラーメンが嫌いになった。

ナポリから輸入した立派なピザ窯は、まだ倉庫に眠ったままだ。

-since 2009-

桜丘カフェ

桜丘カフェ

住所　東京都渋谷区桜丘町 23-3 篠田ビル 1F
電話番号　03-5728-3242
営業時間　11:30 ～ 29:00
※日・連休最終日 ～ 24:00

https://www.udagawacafe.com/sakuragaoka/

「桜丘カフェ」

渋谷区桜丘町インフォスタワー前。45坪の夜カフェ。別名「ヤギカフェ」。

出店当時、向かいのインフォスタワーには「ロッキンオン」と「アミューズ」「GMO」が入居していた。それぞれが取引先なので、よくインフォスタワーには用事があって度々訪れていた。

インフォスタワーは全館禁煙のビルで、よくビルの横のスペースで喫煙している人で溢れていた。

それを見ていたのと、ロックアーティストのインタビューや打ち合わせなどで需要があるだろうと思って、人通りの無いこの場所にカフェを出店することにした。

狙い通り沢山のアーティストや、アミューズ所属のタレントなどによく利用してもらった。Perfumeや三浦春馬くんも良く来た。ただ、微妙にオフィス街なので週末が弱かった。

沖縄旅行をしている時に、そこらでヤギを飼育しているところを見て、ヤギを飼うことを思いついた。かの安岡力也が、「ヤギが一番具合が良い」ということも言っていた。メスを2匹飼った。

さくらとショコラ。西加奈子に無理矢理「めだまとやぎ」という絵本を書いてもらったりした。

ヤギたちは2018年のカウントダウン時に外国人の集団に襲われて、病気になってしまった。

しばらくして茶色いトカラヤギのショコラが亡くなってしまった。白いシバヤギのさくらは、看病の末に回復して、浜名湖の見える環境の良いところの里親にひきとってもらった。

渋谷駅のマスコットキャラクターの「しぶやぎ」はサクラがモデルとなっています。

-since 2010-

鬼味噌田嶋屋

住所　兵庫県神戸市中央区琴ノ緒町 4 丁目 1-282
電話番号　078-271-0010
営業時間　18:00 ～ 27:00

http://www.onimiso-tajimaya.com/tajimaya.html

「鬼味噌田嶋屋」

弊社所属の「ガガガＳＰ」のドラムの田嶋くんがお店をやりたいというので、三宮のガード下で「神戸三宮鬼味噌田嶋屋」という店を作った。

「ガガガＳＰ」のギターの山本ちゃんとドラムの田嶋くんは調理師免許を持っている。田嶋くんだけが曲を書かなくて暇だというので地元でお店をやってもらうことになった。

近所のスタークラブの松原が独立して「太陽と虎」というライブハウスを作ったのでそこの打ち上げ会場として月に数回使ってもらう約束だった。もともと利用していた居酒屋さんを出禁になったらしい。だから同じ並びのガード下に店を作ることになった。弊社は当時「ガガガＳＰ」や「KING BROTHERS」など神戸の主たるバンドがＬＤ＆Ｋに所属していたため、

「松原、うちで打ち上げやらなかったら、神戸にライブハウス作って潰したるからな」と冗談で言ったりしていた。それこそ松原は私に

「とことん大谷さんの真似をして生きていきますわ。笑。」と言ってうちと同じようにライブハウスをやったりアーティストを抱えて音楽事務所をやったりしていた。

無料フェス「COMING KOBE」など松原はとっくに私の頭を超えて行ってしまった。フェスで「ガガガＳＰ」を毎回トリに使ってもらって感謝していた。松原が亡くなってしまったのは本当に残念だ。

「田嶋屋」は引き続き田嶋くんが元気にやってくれている。

-since 2010-

o'bo

---

o'bo

住所　東京都新宿区歌舞伎町 1-12-4 クニモトビル 1/2F
電話番号　03-6233-9828
営業時間　月〜土 19:00〜29:00
　　　　　日・祝日 19:00〜26:00

https://www.udagawacafe.com/obo/

「o'bo」

リエという女がいた。「宇田川カフェ」最初の移転後のアルバイトスタッフとして入社後、「桜丘カフェ」を経て「もうカフェのバイトを辞めて小さな店をやりたい。渋谷じゃなくて。」というので新宿歌舞伎町に店を出すことにした。1階カウンターのみ8席、2階テーブル席12席の一軒家。

私は、スタッフが店をやりたいというと店を増やしてしまう癖がある。もともと好きな人に囲まれて生きていたいという理由で社長をやっているし、好きなスタッフを雇っているので、辞めてしまうのが寂しいし悲しい。しかし飲食店なんてのは独立するのが常であるし、希望を叶えてやらなければ辞めてしまう。結果的に希望を叶えるために店が増えてしまう…を繰り返して弊社の店舗がこうやって増えてしまっている。店が増やすこと自体には興味が無いのです。

個人的にはもともと渋谷よりも歌舞伎町で飲むことが多いので、一軒くらい歌舞伎町に小さなお店があってもいいな、とは思っていたのでちょうど良かった。渋谷だと顔バレしすぎて落ち着いて飲めないのである。渋谷だと飲んでいるだけでいろいろな人が挨拶にくる。その点、新宿は誰もが匿名で飲めるので居心地が良い。

最初は店名を「Bar 反省会」という名前にしようと言ったらリエに断られた。笑。リエはずっと私の愛人だと周辺のお店の人に思われていたらしいが、全くそんなことはない残念ながら。笑。

「o'bo」はスペイン語で「おいしいもの」という意味らしい。今は全く料理を出さない。

-since 2010-

Star lounge
星 酒 吧

STAR LOUNGE

住所　東京都渋谷区宇田川町 4-7 トウセン宇田川町ビル 1F
電話番号　03-6277-5373
営業時間　公演に準ずる

http://www.starlounge.jp/

「STAR LOUNGE」

弊社ライブハウス「CHELSEA HOTEL」の上のフロア、1階路面と2階にはもともとバイク屋「ハーレーダビッドソン」があった。そこが撤退した。2階には「GAME」というライブハウスがすぐに入居した。しかし当分のあいだ1階の路面店部分は空いたままだった。痺れをきらしたオーナーが、弊社に1階を借りてくれないかとお願いに来た。1階はやはり家賃が高いのと、地下のうちの「CHELSEA HOTEL」と2階の「GAME」の2軒のライブハウスに挟まれて音がうるさく、物販や美容室やカフェなどのテナントが入居できない。地下と同じようにライブハウスとして借りてもらえないか？ という話だった。

1階は地下の「CHELSEA HOTEL」より坪数が少なかったため、前のスペースを利用できるという条件付きで借りることになった。CHELSEA HOTEL は60坪、スターラウンジは50坪程度である。

名前は CHELSEA HOTEL 店長の川崎が命名した。そしてその時から、川崎は仕事ができるので関東のライブハウスを何軒も面倒を見る支配人という立場になった。

渋谷の「CHELSEA HOTEL」「STAR LOUNGE」「Club Malcolm」。横浜「1000Club」。「下北沢 Shangri-La」と5軒のライブハウスの面倒を見てもらっている。彼の作る「支配人のカレー」というのが出演者の界隈では旨くて有名になっている。是非。

-since 2010-

金龍　　からあげひとつ屋

上海小籠包　　クレオパトラケバブ

上海小籠包

金龍

クレオパトラケバブ

からあげひとつ屋

上海小籠包

金龍／上海小籠包／からあげひとつ屋／クレオパトラケバブ

住所　東京都渋谷区宇田川町 4-7 トウセン宇田川町ビル 1F

「金龍／上海小籠包／からあげひとつ屋／クレオパトラケバブ」

STAR LOUNGEの開業に伴い、前面ピロティ部分の使用許可をもらったのでチケットブースに併設して、せっかく路面に面していることもあり3坪のスペースで店舗を作ることとなった。

まずは普通のドリンクスタンドとして「金龍／GOLDEN DRAGON」になった。支配人の川崎を連れて行ったマカオ旅行から付けた店名だ。

その次は、上海に通って小籠包にはまったので小籠包店にした。物凄く旨い小籠包を提供する店になった。煮凝りに旨味成分を仕込めばいくらでも好みの旨さが出来る。しかし東日本大震災直後に中国人の職人スタッフ達が全員いなくなっていた。故郷の中国に帰ってしまったのだ。

その後には「からあげひとつ屋」という唐揚げ屋になった。TV局と他の音楽事務所とのタイアップ仕事だった。弊社はLD&K BOOKSという出版部で「からあげ本」を出版した。そのトイレの神様だかのアーティストをデビューさせた音楽事務所がケツまくったため、途中で頓挫した。そこの社長曰く「名刺を持たせていたプロデューサーが勝手にやったこと」という訳のわからない言い訳に私は怒った。「名刺を持たせている以上、その会社の看板背負っているんだから、そいつが契約社員だろうが社長のあんたが責任取るのは当然だよな。」と言ってやった。

今は本社で飲食事業部管理統括をやっている荒木が当時はこの現場で唐揚げを揚げていた。

今はケバブ店になっている。ハラル。

-since 2011-

bar segredo

bar Segredo

住所　東京都港区高輪 3-13-3 SHINAGAWA GOOS 2F

「bar Segredo」

品川の老舗ホテル「パシフィック東京ホテル」。1971年に日本で3番目に出来た高層ホテル。

京急が鳴り物入りで作った格式のあるホテルだった。勝新太郎や田宮二郎などが定宿にしていたと言われていた。そこの2階の奥まったところに「エル・ベンセドール」というオーセンティックなバーがあった。もともと私はそのバーの常連客であった。

バブル後のホテル不況のさなか、「パシフィック東京ホテル」を閉館することになって、カジュアルな「GOOS」というホテルに変わってしまうという話になった。この「エル・ベンセドール」という老舗バーも京急直営だったため、同じく閉店する運びとなった。

常連客であった私は店が無くなるのはよろしくないということで、猛烈抗議をした。そしてその時点で40年の歴史があったそのバーを弊社が引き継ぐことになった。

元の名前を使えないということで、「bar Segredo」という名前にして、メニューや値段もそのままで、看板だけ付け替えた。ポルトガル語で「秘密」という意味である。

ホテルがカジュアル路線になってしまったにも関わらず、店は40年の歴史にわたる常連さんがいたおかげで安定した経営となった。古い常連の中には新しいバーテンの作るカクテルにわざと口を付けずに帰っていった人もいた。気持ちはわかります。

取り壊しによるホテルの全館閉業に合わせて、2021年の3月末に惜しくも閉店となった。

-since 2013-

SHANGHAI ROSE

BAR & CAFÉ ON THE BUND

上海 ROSE

住所　上海市黄浦区南蘇州路 76 号

「上海 ROSE」

上海にデカいクラブをつくった。外灘源、いわゆるバンドという上海で最も有名なエリア。旧租借地の川沿い一戸建て、正面には上海電視台。歴史的建造物の文化財で147坪が2層の2階建て、テラスも90坪、裏庭も140坪超の広いクラブ＆バーをつくった。蜷川実花プロデュース。

まずは、2013年3月「上海 ROSE」グランドオープン時に中国の新聞社主導の囲みインタビューの日本版を読んでみてください。

記者　今では渋谷の老舗カフェで有名な宇田川カフェですが、元々自分が遊びに行ける店を作る目的で、宇田川カフェが出来上がったと聞きました。宇田川カフェの成功要因は何だと思いますか。

大谷　ひとつひとつのメニューや環境づくりに適度にこだわりをもち、環境づくりで自然だと思われていることに実はすべてに流行るべく理由があります。そしてSEXをそこはかとなく感じさせているのです。

そして、街の中央で、ある程度の規模の店にも関わらず、チェーン店との手法とは正反対の独自の方法とイメージで営業しているから話題になっているのだと思います。

内装を例に挙げるなら、椅子の低さ、照明の暗さ、適度に騒がしい音楽、古くからそこに存在しているように見えるようにする、綺麗すぎないようにする。そしてフォトジェニックな景色をつくる。などという手法です。

フォトジェニックにしたところは、壁の片側に「ライトボックス」といって写真を光らせている部分がありますが、知り合いの写真家にアメリカの西海岸にまでいってもらい「多肉植物」の写真を撮ってきてもらいました。セクシーな植物です。

また椅子の低さですが、渋谷はデートで利用するお客様が多いですが、座った時にお客様が格好良く見えるように椅子を調節してあります。皆さん格好良く見えたいですからね（笑）。

記者　「食べログ」では、味よりも雰囲気のほうが好評のようですが、これについてはどうお考えですか？

大谷　「食べログ」を最近見ないのでわかりませんが、当社のグループでも暇であまり儲かっていない店舗の方が「食べログ」などでは点数が高いようです（笑）。

また、味が判らない人が書いているのでしょうね（笑）。もしくは食事をしていないのでしょう。

当店は食事も味付けをしっかりつけるようにしているので美味しいですよ。お酒に合うよう、出汁を強めにするように心掛けています。

店が流行り続けている以上、大衆の意見はどちらでも良いです。多数決で皆が好きなお店は、ほとんどの経営者が目標として目指してしまう分野なので結局同じ内容になってしまい、差別化されない為、最後には価格競争になることが目に見えているからです。

この現象は現代の他の産業にもいえることですよね。

記者　オシャレなカフェにはどういった条件が必要なのでしょうか。

大谷　大企業で本当に大勢の人を相手にするような商売を目指すのでなければ、または業界で1番のシェアを目指すのでなければ、そしてあなたが1店舗または数店舗のみを開店するような小規模の事業家なのであれば、自分のセンスを信じ、こだわれるところは自信を持ってこだわることです。

渋谷は都会ですのである程度、ほんの数パーセントの理解者（マーケット）が存在すれば成立するはずなのです。

記者　夜カフェが流行った理由は何だと思いますか。

大谷　「宇田川カフェ」はもちろんコーヒーだけでなく、お酒も飲めて、美味しい食事もあり、暗いこと、低いこと、柔らかいことが特徴です。

これは人々のライフスタイルが多様化、個人主義になっている傾向にあわせ、当社では夜でもさまざまなニーズに答えられるように「カフェ」という業態として打ち出しをしています。

そもそもの「夜カフェ」の良さは、人々の様々なニーズに答えられるよう、コーヒーを飲むだけでも良いし、お酒を飲んでも良いし、食事をしても良いし、打ち合わせをしても良いし、愛を語っても良いという多様性が売りです。

特に「宇田川カフェ」は表面的ではなく、深層でSEXを感じさせているのです。人々の夜に盛り場やバーに出掛ける行動自体が、深層心理では薄められたSEXを求めていると考えます。

それが「カフェ」であればハードルが低く、皆が抵抗なく夜の街に存在でき、気軽にSEXを感じるコミュニケーションが出来うる場所なのです。

ですから「宇田川カフェ」はとにかく暗く、椅子は低く柔らかく、ラテン系の情熱的な音楽が流れ、お酒が飲みたくなるエロティックなムードつくりを心がけているのです。

この秘めた深層心理のニーズに合わせているのです。

記者　カフェを作る際の場所選びに拘りはありますか?

大谷　街のガイドブックに掲載されるエリアで、しかし人通りが多すぎない。ということです。

人が多すぎてしまうと、本来お店が求めている種類以外のお客様が来店してしまうことになります。そうなるとお店が打ち出したいコンセプトの維持が難しくなります。お客様もお店のムードを構成する要素の一部となるからです。
ですから、当社としては不特定多数のお客様が利用してしまうような駅ビルや、大きな商業施設などから出店依頼がありますが、あえて断ったりしているのです。

記者　2006年を境に宇田川カフェを事業拡大した訳を教えて下さい。

大谷　最初に開業した5年後に、もともとの「宇田川カフェ」が入店、営業していたビルが取り壊しになったのです。そして移転する際、出来ることなら縮小することだけは避けたいと考えました。
そしてタイミングよく元の店舗の目の前の物件に巡り合いました。

記者　つまり2006年の事業拡大がきっかけで、事業が急成長なさったのですね。

大谷　いいえ。宇田川カフェ開業の2001年の翌年の2002年には、現「宇田川カフェ別館」を、さらに2003年には CHELSEA HOTEL（ライブハウス）を開業しており、その後も少しずつですが毎年コンスタントにお店を増やしています。急成長ではありません。徐々に少しずつ拡大しているのです。

記者　「宇田川カフェ」は、多い時で1日に約600名の来店があり、昨年12月では1500万円の売上高を更新したそうですが、これは渋谷のカフェにおいて良い成績なので

しょうか？

大谷　「宇田川カフェ」は120㎡程度のお店です。他社の普通のカフェというのは基準がわかりませんが、周辺の同じような立地条件や広さのカフェに比べれば集客、売上ともに2倍程度の成績になっているのではないでしょうか。

記者　目指している集客数と売上高はどのくらいですか。

大谷　集客数と売上高を基準にして仕事をしているわけではないので現状で良いのではないでしょうか。私が好きな店として存在してくれて、なおかつ事業として成立してくれていればそれで良いのです。

記者　上海 ROSE の業態はカフェですか？バーですか？

大谷　1階はカフェとしても営業します。庭が広いのでテラスカフェとしてです。夜にバーとなるのです。2階がナイトクラブです。ショーもあります。せっかく2フロア存在しているので2種類の業態に分けたいと思いました。

記者　蜷川さんに内装プロデュースをお願いしたのは有名だからですか。

大谷　有名だから仕事を頼んでいるのではなく、蜷川さんのカラフルで妖しいエロティックな色の嗜好性が今回の上海のプロジェクトにジャストであると思ったので頼みました。有名だから仕事を頼むという考えは私にはありません。有名かどうかはどちらでも良いことです。センスのみを信じています。

記者　他社で有名なカメラマンやデザイナーさんを起用した成功例を参考にされたのですか。

大谷　私にとって有名か無名かというのはわかりません。私はテレビも観ませんし、他の例も知りません。蜷川さんにこの仕事を頼んだのはすでに2年半前で、その後に「ヘルタースケルター」がありましたし、このような色使いが出来るアーティストで他に思い浮かんだのは草間弥生さんくらいですが、２人とも商業施設のデザイナーではありません。

今回の蜷川さんの起用は彼女の写真作品をみていて思いつきましたが、このようなコンポーザーのようにそれぞれの仕事をする人をうまく起用して仕掛けることが私の仕事だといえるでしょう。

記者　蜷川さんとはどのように知り合ったのですか。

大谷　突然事務所に連絡しました。

なにごともクリエイティブな情熱は直接本人に素直に伝えることが大事だと考えます。

上海の外灘エリアでカフェバー＆クラブを弊社が開業する予定があること、そしてその内装プロデュースに蜷川さんを起用したい旨を、蜷川さんの事務所に連絡して直接説明に伺いました。もちろん私が直接連絡し説明に行っています。今から２年半前（２０１１年の秋頃）の出来事です。

私は蜷川さんの仕事の様子や作品を観察しており、彼女がこういった仕事をやりたいのではないかな、と感じていました。

想像どおり蜷川さんがやりたいと思っていた仕事だったので、本人から「是非やりたい。」という返事がありました。

仕事などを頼む時は、相手を良く知り、理解することが大事です。そして何事も相手に興味があり、良いと思うことであれば、他の誰かに仲介を頼むことは必要ありません。決定権がある人に興味があれば知らない人の話でも聞くのです。

そして私は興味があるアーティストに関しては常に動向を観察するようにしています。

また、私のところにもいろいろな人が仕事のプレゼンテーションに来ますが、「誰かの紹介なのですが。」という人にはあまり逢う気がしませんが、直接連絡をしてきて話をしに来る人の話は訊きたいと思います。そのような人の方が行動力と思い切りがあるように思えるからです。

記者　外灘に来る人はみんなバーに来るとは限らないのに、なぜバーを作ったのですか。目標にしている客層も教えて下さい。

大谷　もちろんそうです。それほど大きな店ではないので、変わった趣味の人が集まればそれでよいのです。

そして2階で行われるショーなどは、やはり貴族の遊びなのです。お金と気持ちに余裕がある人のみが来られるのです。

云われるように、外灘に来る人が皆バーに来てしまったら、バーが田舎の人で溢れかえってしまいます（笑）。

ただ、やはり外灘は景色が良いことがいいですね。水（川）が近くにあることも凄くいいことです。昔から動物は水辺に集まり憩う習性があるのです。

記者　上海の衡山路一帯はバーが多いことで有名なのですが、どうして衡山路にしなかったのですか。

大谷　4年程掛かってこの歴史的建造物の契約に至りました。

それまでに、さまざまなエリアの物件も紹介されましたが、中身は他人に真似されます。建物自体が真似できない物件を探しておりました。

またリスクヘッジの目的で政治的に目立つ物件を探しておりました。

私どもは日本政府関連の金融機関からも資金を調達しています。トラブルが起きるのを防ぐため、逆に目立つ物件の方がトラブルに巻き込まれにくいと考えました。国際的な話題になりますから目立てば悪いことはお互いに出来ません。それが「上海 ROSE」です。

衡山路でいい物件があればそれでも良かったでしょうね。他と同じでよければ。ただ特別な存在にはなりにくいでしょうね。

どこでも人気が出れば同じような内装のものは真似が出来ます。いくら蜷川さんがプロデュースしたからといっても似たような写真は入手できますしね。

しかし、この歴史的物件はオンリーワンの存在ですから、真似は出来ないでしょうね。

ただ衡山路でも、他の場所でも「上海 ROSE」のようなオンリーワンの物件を貸してくれるようなところがあれば、お店をやってみたいですね。

記者　あなたが考えるエロティックさの作り方を教えて下さい。

大谷　「上海 ROSE」ではライティングに間接照明を多用し、家具は出来るだけ低めに柔らかい素材を使用しています。大きな飾りはダイナミックに配置し、色はとにかく毒々しくグラデーションを多用して、しかし出来るだけプラスチック等の無機的な素材は使わないようにしてあります。より懐古的で豪華なイメージにこだわりました。

言葉にして表現するのはとても難しいのですが、股間にヒステリックな生命力を感じる様な、かつ耽美なイメージも併せ持つ猥雑さを〝綺麗に〟表現しています。

記者　日本にも店舗を構えているそうなのですが、プロデュースはデザイナーさんに依頼しているのですか？それとも自社ですか？

大谷　特に合作したことはありません。私自らがプランニング、デザインイメージを決めていつも設計&設備図に起こしてくれて現場監督をしてくれる、「クローカ」の高橋氏に現場の発注をすることが多いです。そして彼もまた、以前、私の会社LD&Kに在籍したスタッフなのです。

記者　上海を初めての海外（店舗）事業を展開する場所として選ばれた理由を教えてください。

大谷　同時に、ハワイ、ホーチミン、ベルリンなど他の都市も探しておりました。ただエンターテイメントを仕事にするのであれば、構造上ある程度の社会での所得格差と大きな人口規模が必要になります。

大きく有名な都市で格差がもっともあるのが世界中で上海でしたし、ふさわしい物件が見つかったのも上海だったのです。

記者　御社の店舗は渋谷に一番集中しているようですが、その理由はなんでしょうか。

大谷　当社の事務所が渋谷にあるのと、私が渋谷に住んでいるからです。

最初は自分が使いたいからという理由で、私の好みの味のコーヒーが飲みたかったから店舗を作りました。

最初の店があまりにも流行って混んでしまって、社長の私が相手にされなくなったのでという理由で店を増やしていった結果、渋谷に5店舗になりました（現在は13店舗）。（※

当時）

これ以外にも、沖縄にも店舗（ライブハウス）があります。これは私が遊びに行きたいから存在する店舗です。

記者　２００1年宇田川カフェ開店の前に、渋谷では条件の近いカフェかバーはありましたか。

大谷　渋谷は一見、店が多いように感じますが、実は私が満足できるような、たいした店はありませんでした。

記者　上海 ROSE の他店と違った魅力的なところを教えて下さい。

大谷　2階にクレーンがついていて、パフォーマーが空を飛べるところです。そして正面テラスからの対岸の眺めが素晴らしいところです。

記者　上海 ROSE の中で一番気に入ったところを教えて下さい。

大谷　強いて言うなら緞帳の金魚ですが、全体的にエロティックなところです。エロスや狂気、そして底なしの違和感です。

記者　上海 ROSE の改修が終わってから、想定外なことはありましたか。

大谷　大きな馬のオブジェがまだ届いていないところと裏庭のテラス席の完成が遅れていることです。細かくは他にもありますが、徐々に追加していきます。あと屋上には中国の国旗を掲げることがまだですね（笑）。外灘では需要なことですよね。出来ることなら、対岸のタワーなどの建物のライトアップを夜通しやっていてほしいですね（笑）。経済効果はあると思いますよ。

記者　上海 ROSE の改修途中に困ったことはありましたか。

大谷　歴史的建造物なので工事をすることに関していろいろ制約があることです（笑）。関係各所への申請関係も多いです。また途中から蜷川実花さんの他の仕事がすごく忙しくなったことです（笑）。

記者　上海 ROSE を通じて、どんな夢を実現したいですか。

大谷　インテリアではなく、今後はエキサイティングなパフォーマンスを導入していかなければなりません。バーレスクなどショーパフォーマーや音楽家、ダンサーなど、様々なクレイジーな人々を世界からこの「上海 ROSE」に集めたい。それが私の本当の夢であり目的なのです。

　専属のダンスパフォーマーを抱えたいと思ってもいます。これは募集をしたいと思っています。

　しかし同時に世界中からパフォーマーを呼び、「上海 ROSE」を常に新しい刺激を提供していける場所にしたいと思っています。

（2013年3月「上海 ROSE」オープン時に中国の新聞社主導の囲みインタビューの日本版）

インタビューを今読み返すと、あたかも「グレイテスト・ショーマン」を地でおこなっている人みたいですね。

上海ROSEは苦労した。日本に未来を期待できなくなり、私自身が海賊的気分に陥ったこともあり、海外物件を4年くらいかけて探していた。

当初は上海の他に、ベトナムホーチミン、東ベルリン、ハワイが候補に挙がっていた。トライリンガルの香港出身のスタッフ、オオヤンくんを連れていろいろな土地へ物件を観に行った。

私は当時、日本の衰退を目の当たりにして、私の大好きなビックリ人間が世界中から集まることが出来る、**悪夢のようなエンターテインメントを実現できる空間**を創ろうとしていた。

贅沢なエンターテインメント空間を実現するにはその国のGDPが5%以上成長していること、貧富の差が激しいことが条件となる。先進国では贅沢が出来ないし、もはやナイトクラブなんて既に流行らない。世界中からビックリ人間が集まることが出来る国際都市で、成長率が高く、貧富の差が激しいということで、上海かホーチミンに絞られた。

ホーチミンはドンコイ通りのマジェスティックホテルの並びが空いたので、申し込もうとしたら飲食不可の建物だったので諦めた。

上海に悪い女マフィアの友達がいた。その女友達が上海最大の観光地、外灘の歴史的建造物を紹介してきた。地元なら誰もが知っている建物の一棟借り物件だ。それも超一等地の文化財。

さすがの新興国、全てが賄賂で進もうとしていた。１４０年前の建物で文化財、上海共産党の管理物件となっていた。

契約までに長い月日を要した。先方の主要人物を日本に接待したりもした。東京ではペニンシュラ、大阪ではリッツカールトンを指定してきた。とにかく上海人は見栄っ張りでナンバーワンが大好きだ。

日本の弊社の店舗も観て回り、相当な調査も入った。

上海での交渉では毎回宴が繰り広げられるのだが、よりによって担当のオオヤンがお酒を飲めない。中国はご存じの通り白酒というアルコール５０度もある強い酒を潰れるまで飲み交わさなければ信用が得られない。私が飲むしかないので毎回気絶をした。

オオヤンも少し付き合って飲むのだが、トイレで血を吐いては「私は血を吐いても頑張ります」と言って頑張ってくれていた。多分ストレスの方が大きかったのだろう。タフな交渉が続いた。

本契約の前に、向こうの担当とホテルの個室にて最終のやり取りをした。こちらは私と女マフィア。向こうは上海共産党ともう一人はその女マフィア曰く公安。要するにあちらは警察と組んでいるのである。新興国の警察はだいたい悪い奴だ。密室で悪いやり取りをして、契約が決まった。もちろん全て録音しておいた。

新興国は基本的に公務員が副収入を得るために躍起だ。民間が稼ぎ始めているのに公務員の給料はそんなに上がらない。理屈は理解している。悪いとは思わないしこちらがどうこう言うことでもない。

物件の調印式は同じ外灘エリアの同敷地内にある元英国領事館の迎賓館で行われた。その時、弊社の社員旅行を上海に合わせて行った。
これは余談だが調印式の前日、社員のみんなで羽田空港に集合した。私は偉そうに「みんなパスポート忘れてないよな。」などと言いながら全員のパスポートを集めてカウンターに提出した。なぜか私のパスポートだけ帰ってきた。更新もしたばかりだったのに。それは妻のパスポートだった。笑。
私だけ日本に残して皆は上海に飛び立っていった。私は翌日の同便を取り直して。調印式会場には当日直行となった。

翌日、元英国領事館の外灘1号館に着いた時は記者会見が始まっていた。TVカメラや報道陣が沢山集まっていた。私が着くや否や調印式が始まった。執事みたいな人から万年筆を受け取り、横に立っていたオオヤンに内容は確認したのかを聞いたら大丈夫だというので、私と上海共産党の党書記がテーブルに並んで数ページにサインをした。
そのたびにフラッシュがたかれた。赤いカーペットに赤いテーブル。ここは中国上海。

調印式はそのまま晩餐会となった、12人の円卓には、上海共産党書記やその妻、幹部の皆さん。なぜかあの悪い公安も同席していた。上海のセレブはブルゴーニュのワインが好きだ。度数の強い白酒じゃなくてホッとしているのも束の間、私とオオヤンを除く10

人がかわるがわる順番に私の席まで乾杯をしに来るのだ。ブルゴーニュのワイングラスというのは大きいのだが、それにバトラーが並々とワインを注ぐのである。おいおい阿呆か。10人のグラス満タンのワインを全て飲み干してホッとしていたら、オオヤンから「社長、お返しに行かなくてはなりません」と言われた。そりゃあそうだ。

私は再度10人すべてとブルゴーニュワインを並々と飲むことになった。豪華なシノワズリ風中華料理が運ばれてきたが全く口を付けることなく、そのまま椅子で寝てしまった。

少しして隣のオオヤンに起こされて。車でホテルまで送ってもらった。チェックインをしなければならない。高級ホテルのカウンターでパスポートを取り出すためにうつむいた瞬間、全て吐いた。

あとは女マフィアが全てやってくれた。神取忍みたいなブスだが、気が利いた。部屋でスーツを脱がされ、特急クリーニングを頼んでくれた。2時間ほど寝ていたらスーツも完璧にきれいになって、ようやく旅行中の社員と合流した。女マフィアは多分私のことが好きだったのだろう。私は彼女にお金を払ったことは一度もない。彼女はよく欧米人からボッタくったお金で奢ってくれた。どうせホストクラブへ行くのだから大丈夫だと言っていた。

近隣の省から出てきた女で、義理のお兄さんをマフィアのボスに目の前で殺されている。青龍刀で。

女マフィアは愉快な奴で、南京路あたりのぼったくりバーと偽ブランド品と売春という3種類の悪いことを取り仕切っていた。部長格といったところか。

それからそのエリアで女を買ったり、ぼったくりバーに行ったりするような日本人がいると私に連絡が来るようになった。私の知り合いではないかと心配でわざわざ確認してくれる。その女マフィアが韓国のマフィアと店でトラブルになった時、喧嘩して顔面から道路の縁石に突っ込んで顔がぐしゃぐしゃになったことがあった。日本に連絡があって、「顔ぐちゃぐちゃになったけど、次に合う時は、ちょっと顔がかわいくなっているから。あなた私抱くよ。中国人にせもの得意よ。」なんて言っていた。タフだ。

私のことを、日本のマフィアだと勘違いしていた。

ある時、上海で中国の製鉄会社の代表が集まる会があって、その時私もなぜか呼ばれた。女マフィアが

「あの3番目の社長が2番目の社長の目を潰してくれないかと言っているから誰か日本人でやってくれる人いないか?」と私に言ってきた。

私はマフィアじゃないといくら言っても信じないから

「ちなみにいくら?」と聞いたら数百万だというので安いから日本人はやらない、と答えておいた。

「上海ROSE」は工事も大変だった。沖縄と同じで職人が工事図面を全く見ないのである。歴史的建築の文化財だというのに勝手に壁に穴を開けたりしていた。

施工現場は東京からクローカの高橋くんに来てもらった。郊外に資材問屋みたいな巨大なビルがあり、日本には無い変わった装飾品などが沢山あって楽しかった。金箔入りのタイルや巨大なシャンデリアなど、とにかく贅沢を尽くした。各申請関係にはいちいち苦労した。保健局、消防局、交通局、公安、税務局、金融機関、歴史的建築保存委員会など動かすのにいちいち手古摺った。

理不尽なことが多いのでその都度、上海共産党を脅したりしながら交渉して進んだ。

現地で周りからあなたはアブナイ、殺されるかもしれないと言われて、刃物を通さないシャツを着せられたりしていた。いつ殺されてもおかしくないとも言われた。私は全然気にならなかった。気にしていたら仕事なんか出来ない。

2012年12月末に仮オープンして、蜷川さんのスケジュールも合わせるためにグランドオープンは翌年3月にすることになった。テープカットから記者会見、オープニングイベントまで蜷川さんも同席してもらって夜通し遊んだ。東京は歌舞伎町のギラギラガールズからポールダンサーも連れて行った。

通常営業が始まり、様々な人種の方がフェッティシュなイベントを行ってくれた。私のビックリ人間を世界中から集めるという希望が叶う素敵な悪夢のような夜がいくつもあった。長年の念願であった2mを超える黒人と白人の2人の大男を用心棒兼スタッフとして雇った。小人も数人雇いたかったがそれは叶わなかった。いずれやりたいとは思っている。

さすが歴史ある国際都市上海。上海バンスキング。バンス（お金）があれば王様。なんでもできる魔都である。シャンパンがポンポン開いた。

反日運動まっさかりの時期にぶつかったが、在日本領事も来てくれたり、F1の上海グランプリでフェラーリチームが「上海ROSE」でPVを撮ってくれたり、なにかとアガるネタを提供してくれた。

2015年になる大みそかの夜だった。毎年カウントダウンイベントに上海の人が外灘に集まる。そこで事件が起きた。川沿いの同じエリアの屋上クラブから偽札がばら撒かれ下にいた群衆がそれを取り合い、将棋倒しになって10数人が死亡するという中国らしい事故があった。

　運悪く、その時私が絡んでいた日本料理屋で同じエリアの管理会社の幹部が接待を受けている最中だった。それが中国の世論的に大きな問題になった。習近平の体制になってから接待自体が厳しく取り締まられるようになっており、ましてや事故の時間に宴をおこなっていたということで、幹部の全てが更迭された。

　そして、「上海 ROSE」を含むエリアごと春節まで封鎖され立ち入り区域となった。そしてそのまま「上海 ROSE」は閉店となった。結果的に2億程度の損害となった。まあよく遊べた。

　私は責任を取って1億円を個人口座から補填した。

　現場のオオヤンくんはそれでも良く頑張ってくれたと思っている。タフになっただろうし。なかなか経験できない思い出は沢山つくれたな。


オモイデインマイヘッド。人生はそれに尽きる。

-since 2013-

東 京

354CLUB

-since 2018-

club Malcolm

Live & DJ Bar

東京 354CLUB

Club Malcolm

東京 354CLUB ／ Club Malcolm

住所　東京都渋谷区宇田川町 30-5 JOW ビル B1F
電話番号　03-6455-0225
営業時間　公演に準ずる

https://club-malcolm.com/

「東京 354CLUB ／ Club Malcolm」

渋谷宇田川交番の向かい、磯丸水産の地下に「MILK CAFÉ」という読者モデルが働くカフェがあった。原宿の美容院がオーナーの３０坪程度のそこが撤退するというので借りることとなった。とても天井が高かったので店内でお神輿が担げるバーにしようと思った。狭い地下の店内でお神輿を担ぐのだ。**シュールかつカオス**である。ただ私がその**異常な景色を見たいがために店を作った**と言っても過言ではない。笑。

ボトルやテキーラのショットがある程度入ると法被を着てお神輿を担げるシステムにした。

お神輿をわざわざ数百万かけて広島の業者へ発注した。今考えると阿呆である。それでも年始には「巫女ナイト」であるとか、過剰なサービスでメイドカフェを出禁になった女たちが主催する狂ったイベント「地獄の神輿」などという名物イベントも生まれた。世界的ＤＪのスクリレックスもリピーターとして数回遊びに来てくれている。オープンした時は日経新聞にも大きく取り上げられた。

とはいえ、そんなに年中お神輿を担ぎたい人がいるわけでも無いこと、需要がそこまで無いことに5年経ってやっと気が付いた。私のパンク熱が再燃したためライブハウスに変更することにした。

２０１８年に「354CLUB」は、ライブハウス「Club Malcolm」となった。

-since 2013-

Royal Family

-since 2017-

FREE MAISON
フリーメゾン

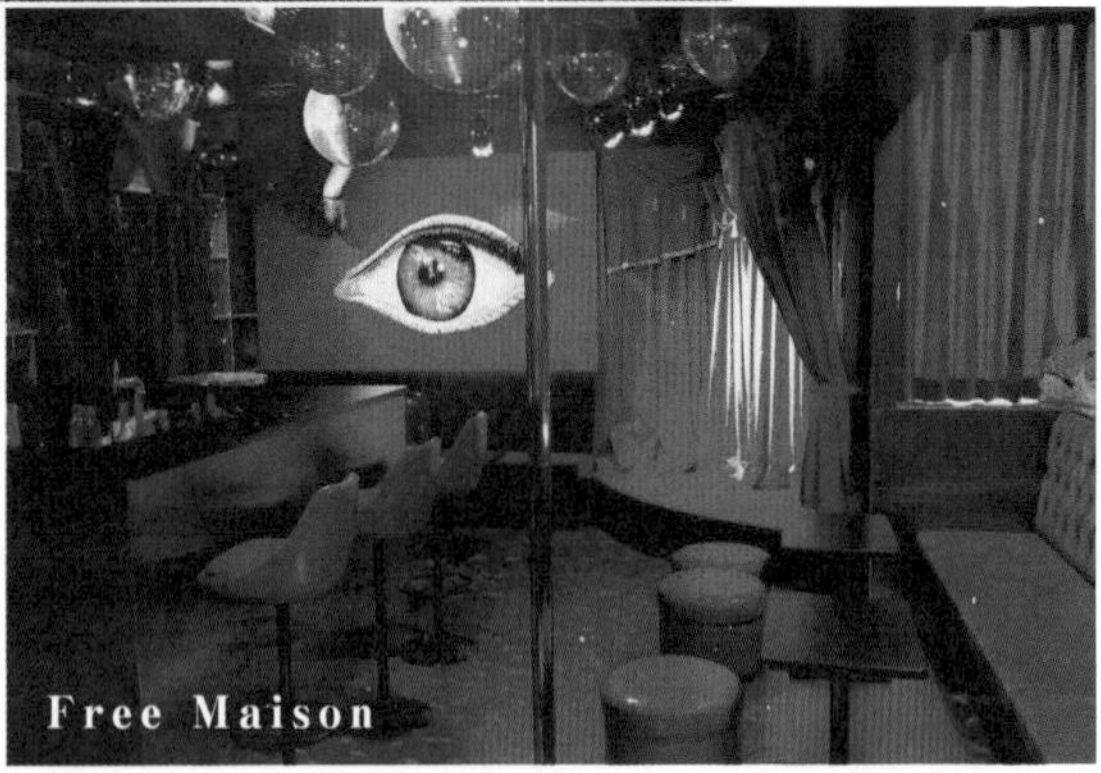

Royal Family ／ Free Maison

住所　東京都新宿区新宿 2-13-16 SENSHO ビル 2F

「Royal Family ／ Free Maison」

新宿2丁目の17坪程度のエンタメクラブバー。元の「リハブラウンジ」というバーのオーナーから頼まれて、物件を引き継ぐことになった。頼まれた案件は受けがちである。

エリア的にLGBT当事者の人のプロデュースが必要だと思い、よく行くスナック「Gekkou」の韓ちゃんをプロデューサーに立ててお店を運営することになった。通常はスナックバー営業だったが、DJイベント、ポールダンス、バーレスク、ドラァグクイーンのショーなどが頻繁に行われた。

パーティスペースと言った方が近いのかもしれない。

「Royal Family」という名前から少し改装をしたのを機に「Free Maison」という名前に改装した。ロゴデザインはRISちゃんに頼んだ。内装のデカい目の壁画は渋谷の「FLAMINGO」の唇の絵と同じくKuuちゃんに描いてもらった。「Free Maison」になって月曜日には「星屑スキャット」のメイリー・ムーさん、木曜日にはマーガレットさんという大御所ドラァグクイーン達もレギュラーで働いてくれていた。

その後、メインで働くスタッフが独立することになり、店を手放すことになった。こういう小さな店は誰が店に立っているかが非常に重要になる。お客さんが沢山付けば当然彼らは独立する。

今は同じビル1フロア上の3階の女装クラブ「女の子クラブ」がそのまま「Free Maison」として引き継いでくれている。引き続き2丁目には良く飲みに行っている。

-since 2013-

FLAMINGO

FLAMINGO

住所　東京都渋谷区宇田川町 10-2 渋谷 BASE 1F
電話番号　03-6416-5513
営業時間　日〜木 11:30〜26:00
金・土・祝前日 11:30〜29:00

https://www.udagawacafe.com/cafe-flamingo/

「FLAMINGO」

純然たるカフェ業態の案件も２００９年の「桜丘カフェ」オープン以降間が空いていたのでそろそろ新しいカフェを作りたくなった。というか、既存の店舗スタッフに店長希望者が増えていた。

やりたい人にはやりたいことをやらせないと辞めてしまうので、渋谷CISCO坂に２０坪の「FLAMINGO」というカフェをオープンした。最初は「宇田川カフェ○○」という名前にしようと準備していた。物件の壁に何やらワイヤーのようなものが一面に張り巡らされていた。契約して物件の引き渡し当日、管理会社に「このネットみたいなワイヤーみたいなものは何ですか?」と聞いたら、ＬＥＤライトだと教えてくれた。建物の屋上にスイッチがあり、引き渡しの時に初めてライトの電源を入れてビックリした。壁一面にライトが光るのである。引き渡しまで不動産屋も知らなかったのである。もともとＬＥＤメーカーのビルだったらしくショールームにするハズだったらしい。

この壁一面ＬＥＤで赤くなったのを見て、店名を「FLAMINGO」に急遽変更決定した。内装イメージをVINちゃんに頼んで、唇もモチーフなどのイラストはKuuちゃんが描いてくれた。

乃木坂４６のＣＤジャケットやＭＶなどで何度も使われ、聖地みたいになっている。

週末の夜はＤＪもいてご機嫌な空間になっている。路地にいきなりの赤く光る建物。大好きな違和感。坂道のある路地は好きだ。イスタンブールや香港のお洒落なエリアを彷彿とさせる。

-since 2013-

café
Bohemia

Café BOHEMIA

住所　東京都渋谷区宇田川町 36-22 ノア渋谷 PartⅡ 1F
電話番号　03-6861-9170
営業時間　月～木 11:30～28:00
金・土・祝前日 11:30～29:00
日・祝日 11:30～23:30

https://www.udagawacafe.com/cafe-bohemia/

「Café BOHEMIA」

CISCO坂の「FLAMINGO」の物件の不動産契約を終え、鍵の現地引き渡しをした。

「大谷さん、ちょっと見てもらいたい物件があるんですけど、すぐ近くなんで今からちょっとだけいいですか?」と不動産屋に言われ、ホントに目と鼻の先の物件に無理矢理に連れてかれた。

隣の名畑ビルの3階にLD&Kの事務所をかまえていたことがあったので場所はすぐにわかった。

元美容院とネイルサロンのあったところ、店内65坪、テラス35坪、合計100坪の物件。

とはいえ、ついさっき「FLAMINGO」になる物件を契約して鍵をもらったばかりだった。

躊躇していると不動産屋が
「とにかくこの金額なら借りてもいいという条件を出してください。」と言ったので、かなり無理目な条件を提示してみた。全く借りる気が無かったので、東南アジアの市場で値切るような金額を伝えた。その値段が通ってしまった。確かにこんな路地では大手は出店しないし、坪数的に個人では無理な物件だ。借りるのは弊社か「際コーポレーション」くらいだろう。

とはいえ、10年ほど前から、私は路面店やテラスのある物件を優先して探していた。新しい「宇田川カフェ」や「桜丘カフェ」「Propaganda」なども無理矢理テラス席を設置している。ビルの上層階では煙草が厳しくなった時に対応できないだろうとかなり昔から考慮して物件探しをしていた。

-since 2015-

Propaganda
SHIMOKITAZAWA

Propaganda

住所　東京都世田谷区北沢 2-8-8 NS ビル 1F
電話番号　03-6407-8883
営業時間　日〜木・祝日 11:30 〜 26:00
　　　　　金・土・祝前日 11:30 〜 29:00

https://www.udagawacafe.com/cafe-propaganda/

「Propaganda」

若いころ、下北沢に住んでいた。自分が住んでいた時はとても閉鎖的な街で、他の街から来る人の入りづらそうな店ばかりである。下北沢はいわゆる下町なのである。当時からちょっと嫌だなあと思っていた。成功した人の足を引っ張る、同調圧力を感じる街である。

だから私は下北沢を離れたということもある。飲み屋で愚痴を言い合うような環境に疲れた。

とはいえたまにライブなどで下北沢に行かなければならないことがある。アガらない街に仕方なく。

下北沢は狭い店が多いのが特徴だが、私はやはり隣の人に話しかけられたりするのが苦手なので、大きめの店なら造ってもいいかなと思っていた。意外と打ち合わせや取材場所に困るし。３８坪。

隣駅の代々木上原に比べて、下北沢は物価が格段に安い。よって飲食店もなかなか厳しいがトライした。私が行ける店があってもよい。簡単なアコースティックライブなども出来るようにしてある。

偶然ホーチミンに同じ名前の店が同じ時期に出来たが全く関係ない。どちらかというと私は上海の田子房にあったカフェにインスピレーションを受けた。

本当は「文化大革命」という名前にしようと思ったがやめておいた。この時期に本気で香港に「文化大革命」という秘密バーを造ろうと考えていた。あちらで私が一回捕まって解放されるニュースになるストーリーまで構想したが、昨今の香港の状況は洒落にならないのでやらなくて良かった。

ここはビストロということで飯が旨い。外側にも席があってシーシャが吸える。

-since 2015-

The Closet

住所　東京都渋谷区宇田川町 36-3 渋谷営和ビル 7F
電話番号　03-6416-9633
営業時間　20:00 ～ 28:00

https://www.udagawacafe.com/closet/

「The Closet」

渋谷でスナックをやりたいと思った。マークシティ周辺側にはスナックがあるのだが基本的に宇田川町エリアにはスナックが無い。私はスナックが好きで遊びに行くと結局スナックに落ち着くのだ。

だから久しぶりに完全自分仕様の店をやろうと思った。SMのショーも出来る仕様になっている。

最初こそ博多出身のマリちゃんがバーテンだったのでバーとして存在したが、やはり初志貫徹だということでスナックに戻した。そしてそれは正解だった。

新しく店をやる時というのは、やりたい店のイメージが必ずあるものである。

「店をやりたいんです。」という人に相談を受けた際によく忠告することでもあるが、「**最初にやりたいと思った店を最初のイメージ通り忠実にやるべき**」なのだ。どうしても店を造ることにあたり、不動産業者とか工事業者とか周りの意見などを聞いてしまって、物理的な理由も含め、最初のイメージからかけ離れてしまう例が多々ある。そして自分のイメージしていた店と違うものが出来てしまったりするものだ。中途半端なものになってしまい愛着がもてず、そこでのパフォーマンスにも力が入らなくなってしまう。

ここ「The Closet」は、純然たるカラオケスナックとなって盛り上がっている。そして私もアルバイトとして毎週水曜日にカウンターに立っているのです。15坪。

-since 2015-

KARIYUSHI COFFEE AND BEER STAND

KARIYUSHI COFFEE & BEER STAND

住所　沖縄県那覇市牧志 3-2-39
電話番号　098-917-5570
営業時間　12:00 ～ 26:00

http://kariyushi-coffee.com/

「KARIYUSHI COFFEE & BEER STAND」

沖縄那覇に「桜坂セントラル」という弊社のライブハウスあるのだが、近所に私が満足するコーヒーショップが無かった。沖縄出張でいつも不味いコーヒーで打ち合わせをするのが耐え難かった。

不味いというのは、沖縄は過去にアメリカだったため、コーヒーが薄いのである。

私はカフェイン中毒であり、いつも眠いので、ただでさえ適当に時間が過ぎていく沖縄でビシッとした目が覚める濃いコーヒーが私には必要だった。

「桜坂セントラル」から「桜坂劇場」の坂を市場側に下りた角地路面に7坪の小さな物件があった。小さいが路面角地で間口が道路に面してぐるっと広い。沖縄も一本裏に入ると家賃が安い。

私は、沖縄だったらこの人に店を造ってもらいたいという業者というかアーティストがいた。

ケンさんというその人に内装を頼んだ。工事の工程に締め切りは作らなかった。とにかくカウンターだけは長くというオーダーだけをして珍しく工事を丸投げした。

今までの弊社LD&Kの店舗の全ての工事は、寸法から素材や色や照明効果まで私が的確に指示をしていたのにである。

さすがにケンさんは廃墟をリノベーションさせたらカッコいいものを造る。任せて良かった。コーヒーも旨い店になった。この店のアイスラテは世界一旨いんじゃないかと思っている。

沖縄那覇へ行く機会があれば是非飲んでほしい。

-since 2015-

むじなや

住所　東京都渋谷区円山町 5-14 スタービル 1F

「むじなや」

大分に住んでいる健吾という男が猟師だというので話を聞いた。私は飲食店をやっているので生産者の話を聞くのが基本的には好きだし、それも仕事だ。

「むじな」というのは、「同じ穴のむじな」という諺でおなじみの「アナグマ」で、見た目はアライグマみたいな感じの野生の動物。この肉のすき焼きがめちゃくちゃ美味しいというので試しに食べてみた。また九州地方でよく獲れるようになったのと、害獣駆除の名目でジビエ捕獲に補助金が出ることになったため、やるのであれば一定量を確保できるという話だった。

健吾は「椿説屋（ちんぜいや）」というジビエ肉の卸の会社を九州でやっていた。島原に加工場があってイノシシの捕獲に一緒に行ったこともある。

日本全国どこを探しても、アナグマのすき焼き店なんて無かったので、ちょっと面白いなと思って、神泉に店を出した。元焼き鳥店だった物件。そこはオーナーの高齢化による引退で物件が出た。

１０坪程度の小さな店だったので、看板になる人が必要になった。渋谷の「Café BOHEMIA」で愛想良く働いていたアヤカというスタッフに声をかけて「むじなや」の女将になってもらった。

アナグマのすき焼きは美味しかった。私も個人的に良く利用した。靴脱いで食べる和食はいい。

数年後、アヤカが辞めるというので店を閉めた。美人なのでストーカー被害に遭っていたという。

こういう小さな飲食店は、看板になる人間次第だということもあり継続がなかなか難しい。

-since 2016-

炭火焼ジビエ
焼山

炭火焼ジビエ焼山 中目黒

住所　東京都目黒区上目黒 2-44-24 2F

「炭火焼ジビエ焼山 中目黒」

「むじなや」に続いて、ジビエ全般を扱うジビエ焼き店をやることにした。

中目黒の商店街の2階の物件。元焼肉屋の居抜き物件22坪。初期投資はほとんどかからなかったが、そんな店はやはりダメで、さらに慣れないところに出店することがまた失敗する例となった。

大家がお洒落なのか何なのか、中目黒だからなのか、下のエントランスに看板を置くこともさせてもらえなかった。だから回転が速い物件だったんだな。前のテナントも厨房機器や冷蔵庫、椅子やテーブルなども新しいままますべて残して退去していた。ラッキーと思いきや世の中そんなものである。


しかしながらここでの思い出はやはり会食イベントの「絶倫ピック」に尽きる。

日本中から絶倫になる食材を集めてフルコースにして提供するこの絶倫ピックは、オリンピックの開催される年に合わせて開催される。というか勝手にしている。

2016年のオープンした年には、金沢から来てくれた「SHOGUN BURGER」のオーナー本田くん夫妻もちょうど妊活している時だったらしく参加してくれた。見事にその日に仕込んで双子の赤ちゃんをつくっている。

その4年後の2020年の絶倫ピックには、中村道生さんも妊活中とのことだったので是非と参加してもらって見事に男の子を授かっている。結果を出している「絶倫ピック」。妊活には是非。

-since 2016-

焼山

炭火焼ジビエ

炭火焼ジビエ焼山 本店

住所　大分県大分市都町 2-4-4 都会館ビル 1F
電話番号　097-578-7929
営業時間　18:00～27:00
定休日：日曜
※月曜日が祝日の場合は日曜日営業、翌月曜日が休業

https://www.udagawacafe.com/yakiyama/

「炭火焼ジビエ焼山 本店」

大分市都町にある6坪の小さな居酒屋。外カウンターで立ち飲みができる。

大分の湯布院に地元ホテル系列が撤退した元ソーセージ工場の跡地があった。「椿説屋」の健吾くんが島原の処理場の次にその工場を欲しがったので、弊社が5000万を出して工場を買い取るかたちにして、さらに改修工事をしてジビエ加工工場にした。

名前を「九州狩猟肉加工センター」とした。そこの運営を健吾のやっている「椿説屋」に任せた。

地元の猟師が、自分らの獲ったジビエを食べるところがあった方がいいかと思い、地産地消の意味合いも含めて、大分都町にそれは小さな炭火焼きジビエの店をつくった。あと大分に店があった方が遊びに行けて楽しい。地方の弊社の店は私が行きたいところに基本的に存在する。

私には若者の希望を叶えてしまう悪い癖がある。「椿説屋」のレベニューシェアで初期投資を返済してもらうプランが全く滞ってしまっている。5年返済すると提出されたプランは6年以上たった今でも100万円すら戻ってきていない。いったん潰れるだろうな、仕方がない。

私はこういった感じでお金を出すことが多い。たとえ予定通り返済されなくても、人間というのは死ぬ時までは失敗は確定しないと思っている。そもそも人を見て、人に投資したのである。近くにいてくれたら大丈夫。まだまだこれからも長い目で見守ろうと思っている。

「GOURMAND GRILL & CAFÉ ／ Pasta Mercato ／ Bangkok Night 銀座」

銀座「UNIZO」の1階34坪。最初はオマール海老をメインにした地中海料理の店をやった。ホテルに朝食を提供する新事業の一環として始め、その保証があるためそこまでリスクはなかったが、なんだかはっきりしないレストランになってしまった。後にオープンした神田のパスタ店「Pasta Fresca」の方が売り上げが安定しているとのことで、間もなくパスタ屋の姉妹店「Pasta Mercato」に業態変更となった。少しは業績も改善されたが、やはり提供する職人に限界があるということで、弊社のレストラン事業部で本当に専門店として勝負できるものは何かということを考え直した。

そしてタイ料理店となり、後に六本木にオープンする店と同じ屋号の「Bangkok Night」となった。弊社のタイ料理はどこに出しても旨いタイ料理だと胸を張って言えるクオリティだ。

さらにコロナ禍になってタイ人の職人さんがどんどん集まってくるようになった。なぜかと言うと世の中のタイ料理店の多くは無許可雇用などをしていたり、労働時間などがあやふやなところが多い。多くのタイ人はコロナ禍で解雇されたり、時短や休業要請中でも賃金の保障がされなかったりしたところが多いらしい。

タイ人など海外の在日外国人のネットワークは強固なものがある。LD&Kのタイ料理店は休業しても手厚く給料補償をしてくれるという噂が広がり、優秀なスタッフがどんどん集まるのである。

ちなみに銀座も神田も「UNIZO」というホテルではなくなってしまった。恐るべしコロナ禍。

-since 2016-

宇田川カフェ
スペイン坂

-since 2017-

Bangkok night

宇田川カフェスペイン坂／ Bangkok Night

住所　東京都渋谷区宇田川町 13-4 コクサイビル C 館 1/2F

「宇田川カフェスペイン坂／Bangkok Night」

ＴＢＳの「有吉ジャポン」という番組で「成り上がりジャポン」という企画が始まった。その前に、日曜昼間の「サンデージャポン」という生放送の番組に出演した際、日曜の朝が早いのでキツいという我が儘を宣伝担当の後藤に漏らしていた。土曜日は基本遅くまで飲んでいるのでね。

それで気を遣ってくれたのか、同じ制作チームがやっている「有吉ジャポン」に呼ばれた。最初は1回だけでいいので出てください、と言われたのだけれど、現場に行ったらシリーズ企画だということを初めて知らされた。後藤にはめられた。笑。

番組で私は、「渋谷の黒豹」「夜カフェの帝王」「ドS、変態、人でなし」というキャッチコピーを頂いた。番組内オーディションで新店舗の店長を決めるという企画だった。面白い企画だった。

その番組のため「宇田川カフェ」宣伝のためにスペイン坂の物件を「宇田川カフェスペイン坂店」とすることにした。「塚田農場」の跡地で2階建て一棟で合計５１坪の物件だった。

この1階トイレの奥に秘密の隠し部屋をつくった。私しか鍵を持っていない怪しい部屋が存在した。隠し部屋なので入り口もわからないようにつくった。お洒落カフェというのは奥が深いものである。見えないお洒落や、ある種の都市伝説になるような底なしの奥深さも必要である。

「宇田川カフェ」本店が2回目の移転の時に、本店と統合して1か所にまとめた。その後タイ料理「Bangkok Night」となったが、六本木に「Bangkok Night」を移転するため、ここは撤退した。

-since 2016-

内臓料理

ホルモン鍋山

ホルモン鍋山

薬膳酒家 火鍋鍋山

ホルモン鍋山／薬膳酒家 火鍋鍋山

住所 大分県大分市都町 2-4-4 都会館ビル 1F
電話番号 097-529-7422
営業時間 18:00 ～ 25:00
定休日：日曜
※月曜日が祝日の場合は日曜日営業、翌月曜日が休業

https://hinabenabeyama.owst.jp/

「ホルモン鍋山／薬膳酒家 火鍋鍋山」

大分に「炭火焼ジビエ焼山」をオープンしてからというもの、大分に頻繁に遊びに行くようになった。私は温泉が大好きだ。この「焼山」がとにかく狭いのと、ある程度流行ったこともあり、隣接する物件を借りて姉妹店「鍋山」を造ることになった。12坪。

最初は、秋田に遊びに行った時によく食べていた甘辛い鉄板ホルモン焼きの店をやった。ちょっと専門店過ぎて大分くらいの街ではなかなか難しかった。特に新しいものに興味が湧くような人がいないのである。大都市型のハレの飲食店を経営する弊社にとってなかなか苦戦を強いられた。

それで、私が上海で仕事をしていたということもあり、結局は大好きな火鍋店に2020年にリニューアルした。

しかしながらびっくりしたのは、今や日清のカップラーメンにもなっている「火鍋」を大分の人が誰も知らなかったのだ。地元で数店舗経営するオーナーでさえ知らなかったのには愕然とした。

「へー、これが火鍋というものか。」と言っていた。まさか「火鍋」という食べ物の存在を知らないとは思わなかった。もちろん大分市にはそれまで「火鍋店」というものがなかった。

誰も知らないということは、今からやっておけば一番古い店になる可能性があるということだ。

これからの火鍋の啓蒙活動を大分でしなければならないというのは気が遠くなるが、頑張りたいと思う。

-since 2017-

六本木カフェ

Roppongi café

-since 2019-

曼谷的夜晩

Bangkok night

六本木カフェ／Bangkok Night 六本木

住所　東京都港区六本木 3-9-8 コンフォート イン 東京六本木 1F

電話番号　03-6455-1336

営業時間　Morning 7:00〜10:00
Lunch 11:00〜15:00
Dinner 17:00〜23:00

https://www.udagawacafe.com/bangkok-night/

「六本木カフェ／Bangkok Night 六本木」

弊社新事業としてのホテルに付帯するレストラン展開の3店舗目として、六本木の「the b」というホテルの1階、朝食提供のレストランやることとなった。

六本木「瀬里奈」の斜向かい。「とりそば」で有名な「香妃園」の向かいである。

最初は「六本木カフェ」という夜カフェの形態での出店となった。

「桜丘カフェ」の初代店長で一度退社した川上がＬＤ＆Ｋに出戻ってきたいというのでここの店長という形でカムバックした。弊社は出戻りスタッフが多い。

しかしながら、朝6時からオープンで翌朝5時までの23時間営業である。人材に苦労した。ちょうど世の中の外食産業全体が人材不足で社会問題にまでになった時期とかぶっている。山手線以内の店舗は基本的にスタッフ募集に苦労していた。渋谷などは放っておいてもスタッフは集まるのだが、ターミナル駅で乗り換えしてまでバイトする人はなかなかいない。渋谷、新宿、池袋などバイト先はいくらでもある。また山手線内に住んでいるような人はアルバイトなんかしない。六本木のアルバイトの質がとにかく酷くなっていた。

ホテルの増築に伴い、うちの店舗スペースも1．5倍の36坪に増床することになった。そのタイミングで渋谷のタイ料理店「Bangkok Night」を移転させることにした。タイ料理店では人材募集をかけたことがないほどタイの方々は集まってくれる。そして真面目に良く働いてくれる。

-since 2017-

Pasta Fresca
CAFE & DINING

Pasta Fresca

住所　東京都千代田区内神田 2-8-4 相鉄フレッサイン神田大手町 1F
電話番号　03-6206-8040
営業時間　Morning 7:00〜11:00
Lunch 11:00〜15:00
Tea 15:00〜18:00
Dinner 18:00〜23:30

https://www.udagawacafe.com/pasta-fresca/

「Pasta Fresca」

店舗の現場スタッフだった荒木が本社勤務となり、せっかくだから何か新しい仕事をやってもらおうと思った。それが前述の、ホテルに付帯する店舗がホテルに朝食を提供する新事業だった。

最初は銀座と同じく心斎橋のビジネスホテル「UNIZO」の場所に出店する交渉をしていたのだが、心斎橋は人気物件なので開業するための抱き合わせの条件として、神田に新しく出来る同系列ホテル「UNIZO INN」の1階も弊社がやらざるを得ない形となった。

神田は老舗が多く安価な飲食の激戦区なので、ハレの飲食の場をを得意とする弊社的には経営が厳しいと思われた。しかしホテルの朝食を提供しなければならないこの業態は家賃が安い。または朝食提供に対する売上保証が付いたりするものである。朝食提供は朝も早くて運営するのが大変なのでやりたい業者が少ない。

私もここはあまり興味が無かったので物件も見ないうちにサインした。43坪あって結構広い。奥に細長い造りになっているので、それを活かした内装にした。

しかしながら営業をしてみるとお客さんが来るものである。特にコロナ禍においても銀座よりよっぽどお客さんが来てくれる。

そこにしかないメニュー。日本中探しても提供しているところはないであろう香茸のパスタやトムヤムパスタなど、うまみ成分を食べさせることに長けている弊社は地力があるということだろう。

-since 2018-

café
Bohemia
SHINSAIBASHI

Café BOHEMIA 心斎橋

住所　大阪府大阪市中央区西心斎橋 1-10-10 ホテルユニゾ大阪心斎橋 1F
電話番号　06-4708-8187
営業時間　Morning 7:00 ～ 10:30
Lunch 11:30 ～ 16:00
Dinner 16:00 ～ 23:30

https://www.udagawacafe.com/osaka-bohemia/

「Café BOHEMIA 心斎橋」

同じくホテルの付帯施設の事業として、大阪でも「UNIZO」の1階に出店することとなった。

心斎橋ＯＰＡと日航ホテルの間の通り沿い、路面店56坪。

なんだかんだいって心斎橋はライブハウスなど用事のあるエリアで一軒くらい店があってもいいなとは思っていた。また、「宇田川カフェ〝suite〟」から「宇田川カフェ」「Café BOHEMIA」「Pasta Fresca」と弊社に長く所属している吉良という女子社員に、かねてから

「社長、大阪に店を出さないんですか？東京にいても結婚してくれる人がいないので大阪に行きたいんですが」とも言われていた。

気が乗らなかったが、希望を叶えなければ辞めてしまうので仕方なく大阪に店を出すことにした。渋谷の「Café BOHEMIA」では毎週火曜と木曜にベリーダンスのステージをやっている。大阪にもベリーダンスが踊れるところがあった方が良いということで、私は心斎橋のこの店も「Café BOHEMIA 心斎橋」とすることにした。踊りがあることは贅沢である。店長として就任する吉良も渋谷店に在籍していたのでやり方は理解している。

結果的に吉良は店の切り盛りは良くやってくれて、ちゃんと結果を出している。トルコランプのワークショップを開いたり、工夫をして頑張っている。結婚はしていないが。シーシャも旨くて人気である。引き続き頑張ってほしい。

-since 2018-

蕎麦処

グレゴリー

Gregory.

蕎麦処グレゴリー

住所　東京都港区赤坂 1-5-15 溜池アネックス 1F
電話番号　03-6277-6640
営業時間　月～金 11:00 ～ 23:00
定休日 土・日・祝日

https://www.udagawacafe.com/soba-gregory/

「蕎麦処グレゴリー」

「宇田川カフェ」「赤坂 AUTHENTICA」「bar Segredo」「Café BOHEMIA」と弊社の店を渡り歩いたチーフシェフの加藤が蕎麦屋をやりたいと言い出した。宇田川カフェの時代から、チーフシェフの加藤には弊社の食事はとにかく「出汁」を良く使って、お酒に合うしっかりとした味のものを塩ではなくて出汁で味のインパクトをつけるように指示していた。私の好きな味を教えるために海外旅行にも同行してもらったりもした。長年私のもとで働いてくれているので私の好きな味が作れる貴重な人材だ。

「Café BOHEMIA」の在籍時には毎朝エビから取る出汁の匂いで店内が凄かった。出汁を取ることを追求したおかげで、単純に出汁をお客さんに食べさせられる蕎麦に行きついたというわけだ。

しかしながら繁盛店「Café BOHEMIA」のチーフシェフの加藤がすぐに抜けてもらっても困る。とはいえ希望を叶えなければ辞めてしまうので、なんとなく物件の内見を繰り返して2年程時間稼ぎをした。都内駅前の路面店はラーメン屋が物件取り合いになっている時代でもあった。現在の溜池交差点の物件は、たまたま2階が中華料理屋で1階がラーメン屋NGの物件だったため弊社に決まった、というかいよいよ決まってしまった。弊社に入る前に新橋の蕎麦屋で働いていたことがあるとのことで、再度その店に修行に行き直させた。「グレゴリー・アイザックス」がBGMの蕎麦屋である。

コロナ禍を利用して、立ち飲み対応も出来る造りに少し改装した。つまみの類も旨い。20坪。

-since 2018-

Chanpuru

チャンプルー荘

住所　沖縄県那覇市牧志3丁目6-3
電話番号　098-862-9287
営業時間　チェックイン 15:00～24:00
　　　　　チェックアウト 11:00

https://chanpuru.jp/

「チャンプルー荘」

弊社の沖縄那覇「KARIYUSHI COFFEE & BEER STAND」の向かいにドミトリーがあった。ここを運営している主人が亡くなってしまったため、未亡人から弊社に引き継いでくれないかと沖縄の現場を任せている鈴木に話があった。

4階建ての古いビルで、雨漏りなどもあったため、改修工事に1000万円ほどかかるとはわかっていた。そして沖縄のドミトリーの宿泊費の相場はかなり安い。回収は出来ないだろう。

そこはもともと近くにある弊社ライブハウス「桜坂セントラル」でのライブのアーティストのファンがまとめて泊まってアフターバーベキューなどをする会場にもなっていたりもした。

弊社のライブハウスやカフェバーが至近にあるので、なにか絡めて出来るんじゃないかと思って気安く請け負った。今は、正直コロナ禍の影響もあって全然ダメな状況である。

1階は広いラウンジロビー、2階は3階はそれぞれ女性、男性専用の個室が数部屋。今時のプライバシーとセキュリティーは最低限守れる、広めのカプセルホテルのような造りに改装した。4階は家族で利用できるワンフロアの大部屋となっている。

で、ここの1階のロビーにブルワリーを造ることにしました。東京本社のデザイナーの水野がプロデュースしたクラフトビールの「シブヤビール」「CBDビール」が当たっているのです。弊社はオリジナルビールも扱っています。沖縄でも地ビールを製造販売します。乞うご期待。

-since 2019-

Jazz Bar 琥珀

住所　東京都渋谷区宇田川町 17-1 プラザービル 6F
電話番号　03-6455-0505
営業時間　日～木 19:00～26:00
　　　　　金・土 19:00～29:00

https://www.udagawacafe.com/kohaku/

「Jazz Bar 琥珀」

ここはもともと野村くんというオーナーが１４年程やっていた「カフェ アンバー」という店だった。

最初はこの野村くんに頼まれてお金を貸していた。私は困った若者などにお金を工面してしまう癖がある。渋谷のいくつかのお店に今でもお金を貸している。店以外でも困っている人にお金を貸す。借りに来る人達はもう死んでしまうほどの勢いでお願いに来る。私は現在死んでしまうような状況ではないため、お金を貸す。私は死ぬほど困ることではないので貸すのである。毎年数千万円は貸す。返って来ているか来ていないかには興味がない。だから私にはずっと貯金がない。

そのくせ投資話には全く興味がない。人に投資するくらいなら自分にする。自己責任で気が楽だ。

そのうち野村くんから、「カフェ アンバー」を買い取ってほしいという話があった。なんかいろいろ事情を話されたが忘れた。ただ私が店を買い取っただけでは野村くん自身が働くところに困るだろうと思って、野村くんはそのまま店長として働いてもらうことになった。店は少し改装した。

1年くらいした頃、野村くんは店で火事を出した。油の鍋を火にかけたまま忘れたのだった。そして野村くんは去っていった。私は燃えてしまった店内を呆然と見つめて、途方に暮れていた。店内は火事の後遺症でかなりスモーキーな匂いに包まれていた。刹那な気分になって、その場でJAZZを聞いてウイスキーが飲みたくなった。そしてJAZZ BARにすることに決めた。「アンバー」を日本語にして「琥珀」。１８坪の小さな店だ。

-since 2020-

LIVE HOUSE

1000CLUB

1000CLUB

住所　神奈川県横浜市西区南幸 2-1-5
電話番号　045-755-7025
営業時間　公演に準ずる

https://1000club.jp/

「1000CLUB」

コロナ禍中にオープンして話題になったが、ここはコロナ前の2019年の年末に物件申し込みをして、本契約は2020年の3月、前テナントからの引継ぎが5月のGW明けだったのである。

横浜駅西口からすぐ、相模鉄道さんの持ち物である。

とにかく敷地が広く、建物だけで240坪と広い。弊社初めてのホール規模の会場経営となる。コロナ禍がこんなに長引くとは思っていなかったため、ちょっとやらかした感はある。

しかしながら、弊社は飲食店はたまに失敗しているのだが、ライブハウス事業で失敗したことがない。なぜ今までライブハウスをもっと造ってこなかったんだろう、「STAR LOUNGE」から10年経ってやっと気が付いた時に、この物件の話があった。

そこからご存知のように、福岡、下北沢、大阪とコロナ禍でもライブハウスを開け続けた。

これは、昨今の音楽業界の変遷による、弊社LD&Kの経営方針の既定路線なのであります。もはや音源コンテンツがそれほど収益を上げる構造でなくなった今、コンテンツ産業のレコード会社は衰退することが目に見えている。イノベーションの進化により中間業者は淘汰される運命にあるのです。

しかしながら、ライブは元来アーティストとお客さんが直接つながれるものであります。

世の中からライブというものはなくなりません。数年前から弊社LD&Kはライブを重視する方向に方向転換をして力をつけているのです。その一環でここも造りました。営業期間は限定。

-since 2020-

天国
Ten Goku
CAFE and BAR

秘密
Hi mi tsu
LIVE HOUSE

天国と秘密

住所　福岡県福岡市中央区大名 1-3-29 DAIMYO582 1F
電話番号　天国：092-753-8346
　　　　　秘密：092-753-8349
営業時間　天国：16:00 ～ 28:00
　　　　　秘密：公演に準ずる

天国：https://www.udagawacafe.com/tengoku/
秘密：https://live-himitsu.com/

天国　秘密

「天国と秘密」

福岡支局の構想は２０１０年あたりからあった。当時、福岡拠点の事務所物件やライブハウス物件を宣伝の後藤と探して回っていた。その時から、飲食店を福岡でやるつもりは無かった。

福岡の外食産業は外様が進出出来るほど甘くない。素材が旨すぎて地元の和食屋が強すぎるのだ。

その当時、宣伝の後藤が福岡のことが好きすぎて、福岡支局を作って現地スタッフを採用してしまうと後藤本人が福岡に行けなくなる、という理由で計画は一旦無しになった。

しかしながら、福岡にはいいバンドが沢山いる。もともとロックが盛んな地域だ。

ＬＤ＆Ｋは東京で日本最大のサーキットイベント「TOKYO CALLING」などを仕切っているが、基本的にはそこで新人開発をしている。東京にライブをやりに来てもらうことが前提なので、福岡の若いバンドなどは物理的に参加できない。

それで、こちらから福岡に新人開発の拠点を作らねばならない、ということでやはりライブハウスを作ることにした。「NYAI」という福岡在住のバンドが所属したことも理由にある。

大名に物件を決めた。路面店で５４坪。ライブハウスだけだと新人バンドには広くなりすぎるので、前面の半分をカフェ「天国」にした。ライブハウスは「秘密」。両方で「天国と秘密」。

特徴のある内装は、私が夢で見たものを現実に落とし込んだ。

オープンと同時に、それぞれ同じタイトルのラジオ番組をFM FUKUOKAの深夜帯で始めました。

-since 2020-

SHANGRILA
Shangri-La
ShimoKitAZAWA

下北沢 Shangri-La

住所　東京都世田谷区北沢２丁目４－５ mosia B1F
電話番号　03-6805-2381
営業時間　公演に準ずる

https://www.shan-gri-la.jp/tokyo/

「下北沢 Shangri-La」

コロナ禍、元「下北沢 GARDEN」が撤退するということを内装業者の高橋くんから聞いた。同時に弊社音楽事業部の菅原からも、「下北沢 GARDEN」がトラブっていて相談を受けている、と聞いた。私は単純にこれ以上コロナ禍で世のライブハウスがなくなっては困ると思っていた。

状況を確認したら、大家と借主と運営会社の３者間で揉めに揉めていた。トラブルの元であるサブリース、いわゆる又貸しはやめた方が良い。それぞれが意固地になって、誰も得をしない話に突入していた。それで１１月に急遽、相談を受けていた弊社が解決することになった。

下北沢 GARDEN は過去に一度改装をしたということもあり造作がしっかりしていた。そのため解体工事にもある程度のお金がかかることが判明していた。

私が少し無理目な交渉テクニックを使って壊さなくて済んだ。内装を壊してしまっていたら弊社も引き継ぐことはなかっただろう。１１６坪あり、６００人キャパ。下北沢最大のライブハウス。まともにスケルトンから造ったら2億くらいかかっていただろう。

ちょうど弊社の大阪「梅田 Shangri-La」が15周年だったので、記念企画ということでここを「下北沢 Shangri-La」にした。大阪４００キャパ。東京６００キャパでツアーするのにバランスが良い。

弊社関東ライブハウス支配人の川崎に早く開けてくれと言われて１２月にはオープンさせた。１２月２０日からほとんどの日程がブッキングされた。川崎は本当に優秀な男だ。

道玄坂カフェ

道玄坂カフェ

住所　東京都渋谷区道玄坂 2-16-8 ビジネスヴィップ渋谷道玄坂坂本ビル 1F
電話番号　03-6416-9993
営業時間　11:30〜29:00

https://www.udagawacafe.com/dogenzaka/

「道玄坂カフェ」

レギュラーラジオの収録場所が松見坂だったり、神泉方面に用事があることが多いのです。道玄坂の長い坂を上りきるまでに、途中でコーヒーを飲んで休憩できる店があったらいいな、と思っていた。

弊社じゃなくても、良さげなカフェが道玄坂にあればそれで良かった。無かったから創った。また、9月の秋祭りシーズンには道玄坂町会のお神輿を毎年担がせてもらっている事情もあり、至極個人的に道玄坂にカフェが欲しいなと思っていた。道玄坂町会の神輿のほうが、宇田川町会の神輿よりも盛り上がって楽しいのだ。もちろん宇田川町会に協賛金を出したりはしているのだが、金王神社のお祭りの時にはいつも宇田川町会の人に、私が道玄坂町会にいるのを見つけられ
「大谷さん、そっちじゃないでしょ！大谷さんの店、道玄坂にありましたっけ?」と言われて気まずい思いをしてきたのでした。

もともと、フレッシュネスバーガーがあったところで、その後は「壁の穴」というパスタ店が入っていた物件で32坪。

「宇田川カフェ」「六本木カフェ」「桜丘カフェ」と社員で渡り歩いてきた熊上が店長になった。朝5時まで営業の夜カフェ。福岡のカフェ「天国」と同じく朝までちゃんとフードメニューもある。

クラブで遊んだ人たちが寄ってくれることを期待している。いわゆるラウンジ使いを狙っている。もともとの「宇田川カフェ」のコンセプトを踏襲している。初心忘るべからず。

-since 2021-

TH-R HALL
OSAKA KANDAIMAE

TH-R HALL

住所　大阪府吹田市千里山 1-6-16 TH プラザビル 202
電話番号　06-6338-5000
営業時間　公演に準ずる

https://thrhall.jp/

「TH-R HALL」

大阪の関西大学駅前に「TH HALL」という20年以上の歴史があるライブハウスがあった。70坪でキャパ300人。まあまあ大きなライブハウス。

ここはいわゆる学生街の店舗なのだが、私は本来学生街の店は絶対にやらないと決めていた。

基本的に大学の登校日というのは、調べたら年に170日程度しかないのだ。学生の頃ここにこんな店があったらいいのに、とか「この店、流行ってるなぁ」とか思うことがあるかも知れないが、それは自分が学校に行っている時に思うことで、学校が休みで自分も行かない時には、意外と人がいないのだ。それが年の半分以上を占める。恐ろしいことだ。

これはオフィス街にも言えること。どんどん休日が増えていく傾向にあるし、ましてやコロナ禍をきっかけにリモートワークなどが定着し始めている。オフィス街にも注意した方が良いでしょう。


しかしここはライブハウス。弊社と提携しているアーティストの「DJライブキッズあるある中の人」くんがここをやりたいと言ってきたのである。彼もまた関西大学出身なのだ。

大学前のライブハウスというのは、場所柄、学校で組んだバンドが初めてライブをやったところであり、初めてライブハウスに行った場所でもあるのだ。エモいからやることにした。

楽屋の落書きをみて、これは消せないと思って工事業者には壊さないようにしてもらいました。

CREATION OR DEATH 創造か死か

出店する理由――

私はこのように沢山の店を出店してきました。このくらい人気店を出店をしていると各種ディベロッパーの方々からの出店依頼をいただきます。しかし駅ビルや大きな商業施設などに出店してくださいなどの依頼は今まで基本的に断ってきました。

ここまで読んでいただけてわかる通り、弊社は万人受けするような業態の店を得意としておりません。お客様を選ぶような店ばかり出店しています。駅ビルのような、誰でもなんでもいいような店を創ってきていないのです。偉そうな事ではなく、それを私がやる意味がわからないのです。

あと私が起業してからの３０年間、飲食業界を内側から観ていて思うことは、目先のシェア争いのために値段競争する居酒屋チェーンや、飲食店の価格破壊により結果的に日本が不況になる原因になってしまっていることを危惧しています。短絡的な飲食店経営者があまりにも多すぎます。

価格競争は後進国のやることです。アップルやダイソンは安売り競争などしません。

弊社はエンターテインメントを絡めて付加価値を創造する企業であることにこだわってきました。安売りする店に抗わなければなりません。日本人はもっと付加価値を付ける仕事をするべきだと思っています。

安売りは国賊レベルに罪だと思っています。業界全体の足を引っ張りますし、結局は自滅します。

国賊は公正取引委員会で取り締まるべきだと思っています。

そして人の思い出を作りたいと思っています。トラウマ作りです。

弊社に路面店が多いのも、店に入らないような人にでも、私の創る店を外からでも観てもらって、「ああこんな店があるんだ。」「こんなことやっていいんだ。」などの印象を与えてある意味、とがった感覚の啓蒙活動をしたいと思っているのです。人々の価値観のフレームを広げるのです。

ある程度の年齢の人からでも「昔、宇田川カフェによく行っていました。」とか「元カレと別れ話したのがBOHEMIAでした。」などと言われると最高に嬉しいのです。思い出作りは成功です。

「まだこの店あるよね。」とか言われたいのです。駅ビルなどの店舗ではこうはいきません。

私はお金を稼ぐのが目的ではなく、人の思い出に残りたいだけなのです。もちろん存続させるために成立するだけの売り上げが無くては続きませんが、全ての仕事に共通する気持ちです。

借金は楽しく返す――

現在2021年の6月です。
去年の2020年の4月のGW前に、このころから始まったコロナ禍について、最初は自分のSNSで
「私は誰もクビにしない、全員の雇用を守る。安心してほしい」などと言ってしまった。
そのためこのコロナ禍で、弊社も新たに約10億円ほどの借金を抱えることになりました。

公約通り、未だにコロナ禍が原因で閉店させた店はありませんし、なんなら新しい店舗の開業や新規事業のため26人ほどの社員をコロナ禍で増やしました。世のライブハウスが潰れてしまい、ライブイベントが出来なくなって仕事を失ったPAなどの技術職も数人社員として雇い入れしました。

ライブが未来永劫なくなってしまうとは思えなかったということはあります。ライブの体験を覚えてしまった以上、ライブシーンが無くなってしまうことは考えづらく、一度無くなったとしてもまた誰かが始めるでしょう。あんな最高の体験をしてしまったら、絶対にまた誰かがやるのです。我々のようなライブハウスのオーナーなんていうのはライブの魅力に取りつかれてしまった変人なのです。

しかしながら正直コロナ禍がここまで長引くとは思っていませんでした。

コロナ禍以前で弊社ＬＤ＆Ｋはほとんどの借金が返済されてきており、一昨年まで、ほぼ私もセミリタイアの自由な生活を１０年程していました。しかしながら世の中がこのような事態になってしまい、私自身が現場復帰して陣頭指揮を執らなければならない状況になってしまいました。

それにより、今まで影に隠れて趣味的なことばかりやっていた私が、度重なる新規事業の発表などで表に露出してしまうようになったとも言えます。

しかし、弊社ＬＤ＆Ｋの経理総務部がとてもしっかりしているため、コロナ禍を乗り切れそうです。この中枢機関がダメだったらと思うとゾッとします。経理部長の田形が本当によくやってくれます。学生の頃から弊社に２０年近く在籍してくれていますが、ＬＤ＆Ｋ裏の社長だと思っています。

コロナ禍において弊社は借金をしました。既存事業の補填だけをしていたら、当然ですが借金は返せないのです。コロナ禍になってから、新たな出店や事業を積極的に打ち出していますが、これは借金を返すためです。

もちろん投資効率の良い事業しか手が出せませんが、物件などコロナ禍で投資効率も良くなっているものもあります。逆境を超えることで強くなります。

私はエンターテインメント事業者です。
借金は楽しく返すのです。

コロナ禍後の時代に――

これからコロナ禍後の２０２０年代は、私が創業したバブル崩壊後の１９９０年代の状況にムードが似ている気がします。音楽業界にカウンターカルチャーとしてオルタナティブなジャンルが再興してきており、そこかしこで新たな事業者の起業の芽生えを感じています。

パワーシフト再びです。

もちろん弊社も置いて行かれるわけには行きません。急速な変化が訪れています。既存のレーベル業務やマネジメント業務のやり方も、どこよりも時代に合わせて変化させています。

「**渋谷近未来カルチャー研究所**」というセクションも新たに作りました。新しいことキレキレで沢山仕掛けていきます。渋谷を拠点にして、渋谷を引き続き盛り上げていきます。無料のＺＩＮＥを造ったり、イベントを仕掛けたりしていきます。「シブヤビール」というオリジナルビールも創っています。そこの「ＣＢＤビール」は大流行りして売り切れを繰り返しています。「Shibuya is my town」というアパレルブランドも立ち上げました。

そして、これからは史上最狂の「アイドルグループ」などを仕掛けていく予定です。タトゥー、整形、喫煙、アル中、ホス狂い、なんでもありのアイドルです。イケてれば良いのです。私がプロデューサーの「皆殺しＰ」となってやります。私はＤＪをする時は「ＤＪ皆殺し」

という名前なのです。

この研究所では常にどうしたら渋谷が常にパワースポットでいられるかを考えて仕事をクリエイトしていきます。

正しいか正しくないか、成功するか失敗するかなんてこと考えている暇などありません。失敗など気にせず、どんどん仕掛けて、どんどんやってブルドーザーのように全てを前に押し流すのです。

URL http://realisti-shibuya.sub.jp/

ＣＤが売れなくなって、配信でも原盤費用が回収できるほど売り上がりません。弊社は音楽アーティストの活動をトータルでサポート出来るために、全てのインフラを整備してきました。

マネジメント機能はもちろんのこと、レコーディングスタジオ、デザイン事務所、映像部門に流通機能、書籍部門にクラウドファンディングのプラットフォーム、ライブ制作、イベント制作、ＭＤ制作、ＣＭタイアップ部門、全国にライブハウスを有し、音響、照明、舞台スタッフを抱えるなどアーティスト活動の全ての面倒が社内で見られるようになっています。

ライブの時代です。ＩＴなどイノベーションの進化によりＣＤなどの音楽コンテンツ事業はレコード会社などの中間業者が不要になりつつあります。ライブに関しては、アーティストとお客さんが直接対峙する場所ですから、もともと中間がありません。ライブは不滅です。なくなりません。

ＬＤ＆Ｋは自社のライブハウスはもちろん、ＴＶ局の音楽番組のイベントや、フェスの手伝い、ツアー制作など、年間で２０００本以上のライブイベントを作って売り上げています。もはやイベンターよりも関与するライブ数が多いのかもしれません。

アーティストのクリエイティブをサポートする体制は相当整っているという自負はあります。

また仕事をやる上で、気持ちがブレてはいけません。身体はもちろんのこと、心が病んでもいけません。マネジメントの仕事をしているので、クリエイティブに対する信念を持ち続けて生きなければなりません。それにはまず自身の心身が健康であることが一番です。

「**揺れない心を作りなさい。**」ということをスタッフには伝えます。

ブレている人にアーティストはついてきませんし、自分たちの人生をゆだねられません。

いろいろな企画屋さんなどが、仕事の話を私に持ってきます。Web関連の下請けやテレビ番組のＳＮＳの管理など数億単位で売り上がる仕事を持ってこられたりしました。

私は気が乗らないので基本的に断ります。弊社は下請けをしない主義です。

「それはクリエイティブな仕事なのか？クリエイティブじゃないなら断れ。」と担当に伝えます。

ＣＭソングだけは大量に受注していますが、音楽アーティストのタイアップのために受けています。

弊社の音楽レーベルや飲食店業に関しては、弊社が創ったものを直接お客さんに売っています。

よって接待もありません。クライアントがいないので接待する相手がいないのです。気の知れた仲間としか時間を割いたり飲んだりしてしません。遊ぶために働いているのですから。

自分の責任で創ったものを売る。売れなければ自分の責任。長年ブレずにやってきました。自分が創りたいもので人生は充分忙しく、他人に構っている暇はありません。よって他人のことが全く気にならないので嫉妬することがありません。

私が普段よく言っていることに

「私の人生は、映画を作っているようなものです。私の人生という映画の登場人物は私自身が決めている。私の嫌いな人、いくら儲かっても私の映画にそぐわない人は登場させなくてよいのです。逆に世間的にダメな人でも、私がキャスティングしたいと思えば私の人生という映画に登場させたい人もいるのです。**私は私の映画を作っています。**他人の作っている映画には興味がない。」と。

ジェラシーが無いということは本当に幸せです。人はたいてい他人と比べることで不幸になります。

創りたいもの、クリエイティブにはこだわるべきです。後は時間です。

プロジェクトで何億と損したこともあります。死ぬか生きるかのところで仕事をしています。沢山借金しても自分の責任です。気は楽です。

上手くいくかいかないか、成功するか失敗するかなんてどっちでも良いのです。悩む暇なくどんどんやれば悩みなんて無くなります。

悩むほど暇ではありません。そんな時間があったら遊んでいるほうがマシです。

ブルドーザーの様に失敗も含めて前に進んだらいいのです。時間さえ巻けば何とかなるのです。GOD SPEED YOU。マッハのスピードでとっととやれ、です。

失敗したらそれよりも凄いことをやって上書きしてしまえば良いのです。バレないうちに。失敗がバレたところで、誰もそんなに他人のことに興味はありません。他人が失敗して店を閉めようが、事業を畳もうが、当人が思うほど他人は気にしてはいません。周りの人もそんなに暇ではありません。全くの自意識過剰です。

他人に迷惑を掛けるかもしれませんが、その時は「で、殺しちゃう？　ダメだったら私のこと殺しちゃいます？」っていう気持ちで仕事しています。

CREATION OR DEATH　創造か死か。という感じで笑いながら生きています。

さいごに

大半の起業家やフリーランスに言えることですが、独立する理由の一つに「自由に旅行に行ける。」というのがあります。勤め人に出来ない事との差はそこが一番大きいのでしょう。自由に世界に行けるというのは物凄く有利なのです。仕事や遊び、人生の選択肢が一気に世界に広がります。

個人的には、コロナ禍が落ち着いて海外に再び行けるようになったら、タイのパタヤなどの観光地に行って、そこのゲイタウンで寿司屋をやりたいとおぼろげに考えています。1階の間口が広くて店内が外から見える路面店で、ふんどし姿のマッチョの板前がずらりと並んでいる「寿司屋」がやりたいと思っています。というか、景色として夢で見ました。現地の観光客にトラウマを植え付けられる良いチャンスです。それがやりたいことのひとつです。

他にも沢山の場所に行きたい。コロナ禍で旅に出られなかった分、インプットが不足しています。そもそも私は発明など出来ないのだから、インプットを増やすしかありません。日本の数十倍の場所や人から様々な価値観のサービスやモノやコトを体験して自分にフィードバックして、自分なりにミックスやアレンジをして提供すれば良いのです。

一度旅に出れば新しい仕事が一つは生まれます。よほど特殊な免許が必要なもの以外は人が出来ていることを私が出来ないハズがないのである。

他にもいろいろな妄想が沢山あります。**夢や妄想を現実に落とし込むのが私の仕事**です。

世の中は所詮茶番です。金融システムしかり、私たちの知りえないところで関係なく大きく世界は動いています。

私ら中小の起業家が何をやったところでたかが知れているのです。ということは何やっても良いのです。

政治家を2世3世やタレントがやるようになってから、日本がどんどんダメになってきました。

高度成長の頃は、ちゃんと実業家が自治体の長や国会議員になっていました。今よりもリアルに責任感のある舵取りをしてきました。残念ながら今の日本は政治家が責任感の無い人間ばかりでダメになってしまいました。コロナ禍でこれはより鮮明に露呈しました。

愚痴を言う訳ではなく、与えられた環境の中でどのように生きるかを考えて生きるしかないのです。

日本よりも政治が悪い国は沢山あります。私はこの世が茶番であるとはっきり確認したうえで生きているのです。夢の中で生きているようなものです。

状況を把握して私なりに目いっぱいのやりたいことをやらせてもらいます。

それと、これは創業時から言っている事ですが、もっと将来的には渋谷のセンター街あたりで「うずらの卵屋」をやりたいと思っています。

誰もお客さんが来ない、誰も必要としない。例えば石を売る「無能の人」のような小さな店を誰もが知るような目抜き通りで営業して、誰もが知っている店になるのです。

「あの店なんだろね、客いないよね」「あの店謎だよね、でもずっとあるよね」なんて言われたいのです。それをLD&Kで出来るようになったら本当の成功だと言えます。

無駄なことをやって、誰もが知るのです。そしてそれが無駄な事ではないと知るのです。アイデンティティの表現の戦いです。

そして夕暮れ時、ヨロヨロと杖をついたおじいさんがその店の前で、必ず日没の時間なるとに盛大にズッコケるのです。それは私です。理想とする私の姿です。

私は、このまま嫌いな人に触れないまま、好きな人たちに囲まれて死んでいきたいと思っています。

30年前にそのために創業をしました。

今のところ順調に来ています。これからまたホームレスになるかも知れませんが、それはそれで良いかなとも思っています。私が死んだら少しだけでも思い出してください。

この本を含め、私の仕事で少しだけでもあなたの思い出が作れていたのなら最高です。

最後まで読んでいただいてありがとうございます。

引き続き私と私の会社をよろしくお願いいたします。謝謝。

LD&K代表　大谷秀政

著者プロフィール

大谷秀政（おおたにひでまさ）

（株）エル・ディー・アンド・ケイ（LD&K inc.）代表取締役社長。

１９６８年生まれ。愛知県豊橋市出身。

大学卒業時２２歳になる年に会社設立。９５年にエル・ディー・アンド・ケイ（LD&K inc.）に社名変更。ガガガＳＰ、かりゆし５８、打首獄門同好会、日食なつこなどが所属するレコード会社であり、全国で飲食店、ライブハウス、レコーディングスタジオ、ダンススクールなどを経営。デザイン事務所、映像部、ＣＭ制作部、ＭＤ事業部、ビール事業、エージェント部門、クラウドファンディング「wefan」を運営。

飲食店の店舗事業としては、２００１年8月オープンの「宇田川カフェ」を皮切りに、「宇田川カフェ"suite"」「宇田川カフェ別館」「桜丘カフェ」等の渋谷のカフェ、新宿「o'bo」品川「bar Segredo」などのバー、渋谷「CHELSEA HOTEL」「STAR LOUNGE」大阪「梅田Shangri-La」といったライブハウスなどを幅広く展開中。

著書

・２０１１年5月「UDAGAWA CAFE BOOK　宇田川カフェ本」(LD&K BOOKS)

・２０１２年4月「自分らしく生きるために、「カフェ」を始めたい人への７７の言葉。」(LD&K BOOKS)

CREATION OR DEATH 創造か死か FROM SHIBUYA

2021年9月22日　初版第一刷発行
著者　大谷秀政

アートディレクション　水野直人（cockney graphix）　デザイン　相模那芽
編集　酒井優考　編集補佐　西山千尋　営業担当　齋藤哲也・安部夏鈴
表紙写真　恵水流生　協力　荒木俊彦・佐々木祐穂　印刷　テンプリント
発行人　大谷秀政
発行元・発売元　株式会社LD&K
E-mail : ldandk@ldandk.com

Printed in Japan　ISBN978-4-905312-49-9